PREPARACIÓN
AL DIPLOMA DE ESPAÑOL
(NIVEL INTERMEDIO)

Nivel B2

Pilar Alzugaray

María José Barrios

Carmen Hernández

edelsa

Primera edición: 2006
Primera reimpresión: 2006
Segunda edición: 2007
Primera reimpresión: 2008

© Edelsa Grupo Didascalia, S.A. Madrid, 2006.

Autoras: Pilar Alzugaray, María José Barrios, Carmen Hernández.

Dirección y coordinación editorial: Departamento de Edición de Edelsa.
Diseño de cubierta: Departamento de Imagen de Edelsa.
CD audio: es una producción dirigida y realizada por "Grupotalkback.es" para Edelsa Grupo
Didascalia, S.A.

Diseño y maquetación de interior: Dolors Albareda.
Ilustraciones: Antonio Martín.

Imprime: Gráficas Rógar S.A.

ISBN: 978-84-7711-334-8
Depósito legal: M-2188-2008

Impreso en España / *Printed in Spain*

Nota: Las audiciones en las que aparecen personajes famosos son adaptaciones de entrevistas reales. Sin embargo, las voces son interpretadas por actores.

ÍNDICE

Modelos de examen

Para el examen necesitas un bolígrafo o algo similar que escriba con tinta indeleble y un lápiz del número 2.

Tienes que aprenderte o tener a mano las cuatro últimas cifras de tu código de inscripción. Tendrás que ponerlo en cada hoja de respuesta.

Hay una **hoja de respuesta** para las pruebas 1, 2, 3 y 4. En la prueba número 5, uno de los examinadores, el evaluador, se encarga de rellenarla.

Las hojas de respuesta 1, 3 y 4 tienen tres partes para completar. Se rellenan de la siguiente manera:

- Nombre y apellidos, centro de examen, ciudad y país donde te examinas, con bolígrafo o tinta indeleble.
- Las cuatro últimas cifras del código de inscripción en lápiz del número 2.
  El código se pone dos veces, una con número y otra sombreando las casillas. (Ver ejemplo).
- Las respuestas del examen han de hacerse con lápiz del número 2.

Hay que sombrear toda la casilla: Ejemplos incorrectos.

0	1	4	8
	0	0	0
1		1	1
2	2	2	2
3	3	3	3
4	4		4
5	5	5	5
6	6	6	6
7	7	7	7
8	8	8	
9	9	9	9

Las pruebas se organizan en tres grupos para su evaluación y corrección.

1. Comprensión de lectura y expresión escrita.

2. Gramática y vocabulario.

3. Comprensión auditiva y expresión oral.

Para obtener la calificación de APTO en el examen debes superar un 70% de cada grupo.

Recuerda: ese día necesitas el pasaporte, carné de identidad, carné de conducir o cualquier documento de identificación oficial.

1ª PARTE (120 minutos)

PRUEBA Nº 1 (60 minutos aproximadamente): Comprensión Lectora

- Empieza a las 9:00 de la mañana.
- Se encuentra en el cuadernillo número 1 junto con la prueba número 2: Expresión Escrita.
- Las respuestas se marcarán en la hoja de respuesta número 1. Puedes escribir en el cuadernillo, pero las respuestas que cuentan son las que marques en esta hoja. Recuerda, en lápiz y sombreando toda la casilla.

PRUEBA Nº 2 (60 minutos aproximadamente): Expresión Escrita

- Empieza sobre las 10:00 de la mañana o cuando se ha terminado la prueba número 1.
- Se encuentra en el cuadernillo de respuesta número 1 junto a la prueba número 1: Comprensión de Lectura.
- Debes escribir **primero el borrador** y después **pasar a limpio la versión definitiva** en el papel oficial del examen, que es la hoja de respuesta número 2. **Recuerda que tanto la carta como la redacción se deben escribir con bolígrafo.** Solo se calificará la parte escrita en la hoja de respuesta correspondiente. ATENCIÓN al tiempo.

DESCANSO (30 minutos)

2ª PARTE (90 minutos)

PRUEBA Nº 3 (30 minutos aproximadamente): Comprensión Auditiva

- Se realiza justo después del descanso, a las 11:30.
- Se encuentra en el cuadernillo número 2 junto con la prueba número 4: Gramática y Vocabulario.
- El tiempo de esta prueba coincide con la duración del CD Audio. Cada texto se escucha dos veces.
- Las respuestas se marcarán en la hoja de respuesta número 3. Puedes escribir en el cuadernillo, pero las respuestas que cuentan son las que marques en esta hoja. **Recuerda, en lápiz y sombreando toda la casilla**.

PRUEBA Nº 4 (60 minutos): Gramática y Vocabulario

- Empieza justo al acabar la prueba auditiva.
- Se encuentra en el cuadernillo número 2 junto con la prueba número 3: Comprensión Auditiva.
- Las respuestas se marcarán en la hoja de respuesta número 4. Puedes escribir en el cuadernillo, pero las respuestas que cuentan son las que marques en esta hoja. **Recuerda, en lápiz y sombreando toda la casilla**.

TIEMPO: a lo largo de las pruebas el examinador irá avisando cuando falte una hora, media hora, quince minutos, cinco minutos… En el momento que diga: "fin del examen", **no se podrá escribir nada más**.

FIN DE LAS PRUEBAS ESCRITAS

PRUEBA Nº 5 Expresión Oral

Tendrás que estar en el centro de examen a la hora indicada por el centro examinador.

1ª PARTE: antes de la entrevista.

Tienes entre **10 y 15 minutos** para preparar el tema de la exposición oral en una sala aparte.

- Hay tres bloques de temas y recibirás uno de cada bloque, es decir, tres temas.
- Tienes que elegir uno de ellos.
- Prepara un guión para tener a mano durante la exposición. No redactes.

2ª PARTE: la entrevista **(10-15 minutos)**.
En la sala de examen habrá dos personas, el calificador y el entrevistador.
El calificador rellenará la hoja de respuesta número 5 con tus datos personales y el código de inscripción, y calificará cada una de las tres partes de la entrevista.
El examinador:

- Te saludará y hará unas preguntas antes de empezar el examen. Estas son para romper el hielo, y las respuestas no se califican.
- Empezará el examen. Tiene tres partes:
  1ª El entrevistador te dará una lámina para que describas una de las dos historietas que aparecen. No podrás verlas hasta ese momento.
  2ª Te pedirá que hagas la exposición del tema que has preparado.
  3ª Cuando termines la exposición del tema te hará unas preguntas a partir del tema que has escogido.
- Se despedirá. Nunca podrá hacer el más mínimo comentario sobre el desarrollo de la prueba.

GASTRONOMÍA, ALIMENTACIÓN, COMIDAS Y BEBIDAS

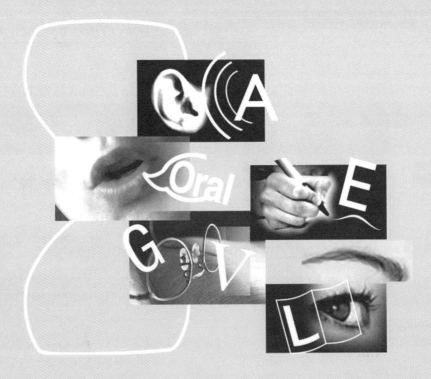

Recomendamos este libro para ampliar el vocabulario del español de España y variantes de México y Argentina.

Págs.: 14-26

VOCABULARIO

FICHA DE AYUDA
para la Expresión Escrita
y la Expresión Oral

PONER LA MESA

- Mantel (el) — TOVAGLIA
- Vaso (el) — ......
- Copa (la) — ......
- Jarra (la) — ......
- Plato (el) — ......
- Fuente (la) — ......
- Servilleta (la) — ......

FRUTAS

- Plátano (el) — ......
- Melocotón (el) — ......
- Fresas (las) — ......
- Melón (el) — ......
- Sandía (la) — ANGURIA

CONDIMENTOS

- Sal (la) — ......
- Pimienta (la) — PEPE
- Especias (las) — ......
- Aceite (el) — ......
- Vinagre (el) — ......
- Ajo (el) — ......
- Perejil (el) — PREZZEMOLO

FORMAS DE PREPARACIÓN DE LOS ALIMENTOS

- A la plancha — GRIGLIATO
- A la parrilla — GRIGLIATO
- Frito — ......
- Guisado — STUFATO
- Asado — ARROSTO
- Cocido — cotto

ENVASES

- Lata (la) — LATTA
- Paquete (el) — PACCHETTO
- Bote (el) — ......

UTENSILIOS

- Sartén (la) — PADELLA
- Cazo (el) — secchio
- Horno (el) — FORNO
- Microondas (el) — ......
- Cacerola (la) — PADELLA
- Olla (la) — PENTOLA
- Olla exprés (la) — PENTOLA
- PRESSION

CARNES

- Filete de ternera (el) — VITELLO
- Pechuga de pollo (la) — PETTO DI POLLO
- Escalope de ternera (el) — ......
- Escalope de cerdo (el) — ......
- Entrecot (el) — COSCIA
- Lomo de cerdo (el) — LONZA DE MAIALE
- Chuletas de cordero (las) — COSTOLETTE D'AGNELLO

PESCADOS Y MARISCOS

- Lubina (la) — SPIGOLA
- Dorada (la) — PESCE ROSSO
- Salmón (el) — SALMONE
- Merluza (la) — ......
- Calamares (los) — ......

VERDURAS Y HORTALIZAS

- Judías verdes (las) — FAGIOLINI
- Pimiento rojo o verde (el) — PEPERONI
- Calabacín (el) — zucchina
- Zanahoria (la) — CAROTA
- Tomate (el) — POMODORO
- Cebolla (la) — cipolla

BEBIDAS

Cerveza (la) —	Café (el) — ......
Vino tinto (el) —	Cortado (el) — ESPRESSO
Vino blanco (el) —	Café con leche (el) — ......
Refresco (el) —	Infusión (la) — TISANA

PLATOS DE CUCHARA

- Lentejas (las) — ......
- Cocido (el) — ......
- Fabada (la) — STUFATO
- Garbanzos (los) — ......
- Judías blancas (las) — ......
- Potaje (el) — ......

COMIDA LIGERA

- Tapa (la) — ......
- Bocadillo (el) — ......
- Montado (el) — ......
- Hamburguesa (la) — ......
- Perrito caliente (el) — ......
- Sándwich (el) — SÁNDWICH

ESTABLECIMIENTOS

Restaurante (el) —	Cervecería (la) — ......
Bar (el) —	Bodega (la) — ......
Café (el) —	Bar de copas (el) — ......
Cafetería (la) —	Pub (el) — ......
Terraza (la) —	Merendero (el) — ......
Chocolatería (la) —	Taberna (la) — ......

PRUEBA 1 Comprensión Lectora

TEXTO 1

LOS MEJORES ALIMENTOS NATURALES

En las sociedades modernas, la búsqueda de alimentos y nutrientes que preserven la salud es una constante. Sin embargo, conviene no caer en las trampas de los productos maravilla. En México, por ejemplo, existen varios que son ricos en fibra dietética, bacterias positivas, vitaminas y antioxidantes. Luis Arturo Bello Pérez, miembro de la Academia Mexicana de Ciencias, afirma que productos como la uva, el chabacano, el mango, la nuez, la avena y el tomate, entre otros, son alimentos funcionales de beneficio probado para la salud humana. Entre sus componentes se encuentran dos tipos de fibra. Las fibras insolubles, que se fermentan en parte en el colon, permiten mejorar la función intestinal, además de evitar problemas tan molestos como las hemorroides o como la diverticulosis, consistente en la aparición de pequeñas bolsitas en la pared del intestino. Las fibras solubles se transforman totalmente en el colon y previenen la arterioesclerosis, la diabetes y el cáncer de colon.

Respecto a las bacterias, hay algunas como la bifidobacterium y lactobacillus, que resultan fundamentales para la salud intestinal, pues renuevan la flora, aparte de prevenir diarreas, cáncer de colon o cantidades excesivas de colesterol en sangre. Para prevenir enfermedades vasculares o la falta de visibilidad por la noche se recomienda el consumo de zanahoria, mango, papaya, tomate y espinacas, ricos en vitamina A o retinol.

En ocasiones, los nutrientes son agregados a productos que inicialmente no los contenían, como la proteína de soja, presente en algunos panes, harinas y tortillas. Otras veces, la propia naturaleza nos provee de productos naturales ricos en componentes saludables, tales como la avena, los cacahuetes, los hongos, el aguacate, el huitlacoche, el chile o el chocolate, entre otros. La naturaleza es, por tanto, fuente de nutrientes y de sustancias necesarias para una dieta equilibrada que nos alimente y cree un escudo protector contra enfermedades. No obstante, en la variedad está el gusto y no hay que eliminar del todo otras comidas, también saludables, sino combinarlas adecuadamente.

Adaptado de *El Universal*, México, 15-11-2005

PREGUNTAS

1. En el texto se afirma que la fibra soluble sufre un proceso de fermentación parcial en el colon.

   a) Verdadero.
   b) Falso.

2. Según el texto, los panes son ricos en proteína de soja.

   a) Verdadero.
   b) Falso.

3. En el texto se aconseja el consumo de una dieta basada exclusivamente en la combinación de alimentos ricos en bacterias y fibra.

   a) Verdadero.
   b) Falso.

TEXTO 2

LOS ESPAÑOLES, LA COMIDA Y EL TIEMPO

Un estudio publicado esta semana por la marca Gallina Blanca afirma que los españoles comen y cenan en menos tiempo y en cantidades más copiosas que en el pasado. La cena tiene lugar muy tarde, según los expertos: en torno a las 21:30. Otro dato de interés es que prácticamente el 90% come en casa todos los días, aunque este porcentaje se reduce al 79% en el caso de los madrileños, que siguen siendo los que más acuden a restaurantes y bares.

En cuanto al número de comidas, es menor al constatado en otros países europeos. Sin embargo, suelen ser más abundantes justo a las horas en que menos debemos. Mientras que el desayuno sigue siendo escaso en general, la cena suele ser excesiva, o así al menos lo afirman las estadísticas, que señalan que solo la mitad de los encuestados hace una cena ligera.

Respecto al tiempo dedicado a las comidas, los expertos nutricionistas consultados por *Qué!* afirman que no es aconsejable invertir menos de cuarenta y cinco minutos en comer o cenar, ya que si no se mastica bien, el **bolo*** alimenticio está menos preparado para recibir los jugos gástricos, lo que repercute en una mala digestión. Respecto a la creencia generalizada de que comer rápido engorda, afirman no haber encontrado ninguna relación. En los adultos el tiempo empleado en comer o cenar se reduce a treinta minutos, mientras que en los niños es aún inferior, pues solo invierten entre quince y treinta minutos.

La falta de tiempo puede ser la causa de que uno de cada cuatro españoles se haya pasado a la "comida express", consistente en platos que se preparan con antelación y son recalentados o descongelados en el momento de consumirlos. En un 23,5% de los casos se recurre a la comida fría o a "pillar" lo primero que encontramos en el frigorífico.

Adaptado de *Qué!*, 25-11-2005

*Bolo: masa de alimento masticado e insalivado, preparada para ser deglutida de una vez.

PREGUNTAS

4. En el texto se afirma que:

a) Los españoles comen más que antes.

b) Los españoles comen más en la comida que en la cena.

c) La cena es antes de las 21:30.

5. Según el texto:

a) La mala digestión causa, entre otras cosas, un aumento de peso.

b) La mala digestión se debe a una mala masticación.

c) Los problemas de mala digestión se agudizan entre los niños.

6. El texto afirma que:

a) Un 23,5% de los españoles recurre a la "comida express".

b) La falta de tiempo ha contribuido al aumento de consumidores de "comida express".

c) La "comida express" consiste en la preparación de platos sencillos en el momento de consumirlos.

TEXTO 3

EL ACEITE DE OLIVA VIRGEN PUEDE PROTEGER CONTRA EL CÁNCER

Así lo afirma la doctora María Isabel Covas Planells, del Instituto Municipal de Investigación Médica de Barcelona, en el *I Congreso sobre Aceite de Oliva y Salud*, que se ha celebrado este fin de semana en Jaén. A pesar de la rotundidad de su afirmación, esta especialista reconoce la necesidad de un mayor número de estudios. En este Congreso, asimismo, treinta y nueve especialistas han firmado una declaración –apoyada por más de trescientos expertos participantes– en la que se concluye que en los países donde se mantiene la dieta mediterránea, tales como España, Grecia e Italia, la incidencia del cáncer es menor que en los países del norte de Europa.

La razón de estos beneficios es que esta grasa previene el daño en el material genético y actúa sobre algunos oncogenes, lo que ha llevado a recomendar un consumo de 60 gramos al día para los adultos y 40 o 45 gramos para los menores, así como para personas de talla pequeña o de poco peso. Además, estudios presentados en este Congreso señalan que los compuestos fenólicos del aceite de oliva virgen, que tienen carácter antioxidante, podrían actuar disminuyendo la toxicidad de algunos fármacos usados para combatir el cáncer. En el estudio se indica que el efecto protector del producto podría ser más importante en las primeras décadas de vida, por lo que se aconseja su consumo en una etapa previa a la pubertad.

Cabe agregar que el aceite de oliva virgen, además de proteger contra el cáncer, también actúa contra las enfermedades cardiovasculares, el envejecimiento y el deterioro cognitivo, consecuencias de la oxidación del organismo a lo largo del tiempo.

Para disfrutar de todos los beneficios del aceite, conviene no reutilizarlo en los fritos, ya que pierde un 10% de los compuestos fenólicos en el primer cocinado, y un 50% en el segundo. Es de destacar, igualmente, la importancia de su almacenamiento: podemos usar una botella oscura o también un recipiente metálico, que debe guardarse en un lugar seco y protegido del sol, ya que la luz deteriora algunos de sus componentes.

Adaptado de *www.elmundo.es*, 25-10-2004

PREGUNTAS

7. En el texto se afirma que determinados compuestos del aceite de oliva:

   a) Potencian los efectos de los fármacos contra el cáncer.
   b) Reducen el efecto de los fármacos contra el cáncer.
   c) Reducen el efecto dañino de los fármacos contra el cáncer.

8. Según el texto, el consumo de aceite tiene:

   a) Mayor importancia en la pubertad.
   b) Mayores efectos beneficiosos después de la pubertad.
   c) Efectos más significativos en fases anteriores a la pubertad.

9. En el texto se afirma que no conviene usar el aceite:

   a) Más de una vez.
   b) Más de dos veces.
   c) Frito en otros platos.

TEXTO 4
LA ÉPOCA DEL HAMBRE

Pero yo nunca había oído hablar de todo aquello ni conocía tampoco detalles del hambre que tu abuela había llegado a pasar pocos años antes de iniciar aquellas relaciones, cuando el azúcar, el arroz, las judías y el aceite estaban racionados, cuando los hogares se iluminaban con carburo y candil, cuando los caldos se hacían con un raquítico hueso de jamón que todos se peleaban por saborear, cuando afortunado era aquel que podía probar la carne o el pescado, pues había quien incluso llegaba a comerse las cáscaras de naranja que se encontraba por la calle, cuando los agricultores vendían de estraperlo la mayor parte de sus cosechas en connivencia con los altos cargos de la jerarquía franquista, enriqueciéndose de forma rápida a costa del hambre de media España.

[...]

De repente entendí el porqué de las manías de mi madre. Su obsesión, por ejemplo, de guardar siempre el terrón de azúcar que ponían en las cafeterías. En casa la palabra "azúcar" nunca figuró en la lista de la compra porque tirábamos de los montones de terrones y sobrecitos que mi madre acumulaba. También era una maniática de las latas y por ello siempre había cientos de ellas acumuladas en la despensa: de pisto, de fabada, de albóndigas, de lentejas, de pimientos fritos, de atún en escabeche y, sobre todo, botes y botes de berenjenas en salmorra, una cosa rarísima de encontrar que no nos gustaba a nadie excepto a mi padre, que se volvía loco por ellas. Mi tía Reme siempre bromeaba con mi madre y le preguntaba que por qué, ya puestos, no construía un refugio atómico en la despensa.

– Pues igual lo hago –respondía ella–. Nunca se sabe.

Tu abuela solía concluir con su frase estrella, frase que le he escuchado repetir del orden de diez veces al día desde que tengo uso de razón, ya fuese al hablar de su juventud en Alicante, ya fuese para convencernos de que nos tocaba ir al colegio andando porque ella no se encontraba bien aquella mañana (una de tantas) y no podía llevarnos: "Lo que no te mata te hace más fuerte".

Al acabar de leer el trabajo me di cuenta de que no sé nada de mi madre, de tu abuela.
Peor aún, de que nunca me he parado a escucharla.

Adaptado de *Un milagro en equilibrio*, Lucía Etxebarría, Ed. Planeta, Barcelona, 2004

PREGUNTAS

10. Según el texto, en aquella época ciertos alimentos como el azúcar y el aceite:

a) Eran los únicos que se podían comprar.

b) No se podían consumir libremente.

c) Eran vendidos ilegalmente por los agricultores.

11. La autora del texto afirma que en casa de su madre:

a) Se tenía manía al azúcar.

b) Se tiraban los terrones de azúcar.

c) Se compraban grandes cantidades de conservas.

12. En el texto se afirma que la abuela:

a) Repetía una orden diez veces al día.

b) Quería convencer con el uso de la razón.

c) Con frecuencia no podía acompañar a sus hijos al colegio.

Anota el tiempo que has tardado:

Recuerda que solo dispones de **60 minutos**

Expresión Escrita

PARTE Nº 1. Carta personal

60 min **Tiempo disponible** para escribir los dos textos, primero en borrador y luego en la hoja de respuesta a limpio

OPCIÓN 1

Usted recibe una carta de una amiga en la que le pide la receta de una especialidad suya para una cena muy importante. Conteste a su carta siguiendo estas indicaciones:

- Saludo.
- Referencias a las situaciones en que compartieron la receta.
- Descripción de la receta.
- Buenos deseos para la realización de la receta y éxito en la cena.
- Despedida pidiendo algo a cambio.

OPCIÓN 2

Usted ha realizado una compra por Internet en un famoso supermercado y al recibirla descubre que se han cometido varios errores en el pedido. Escriba un correo a la empresa en el que exponga:

- Motivos de la carta.
- Enumeración de los productos equivocados.
- Propuestas para arreglar la situación.
- Deseos de que el asunto se solucione rápidamente.
- Espera de respuesta por parte de la empresa.

PARTE Nº 2. Redacción

OPCIÓN 1

Seguro que usted recuerda alguna comida especial de su vida. Describa:

- Cuándo, dónde y por qué tuvo lugar.
- Por qué fue tan especial.
- Personas presentes.
- Detalles de la comida: platos, alimentos, bebidas.
- Alguna anécdota o detalle relevante.

OPCIÓN 2

"Donde mejor se come es en casa". Exponga sus opiniones a favor o en contra de esta afirmación:

- Razones por las que está a favor o en contra.
- Ejemplos que justifiquen sus argumentos.
- Resumen de su argumentación.
- Una breve conclusión.

Expresión Escrita

Sugerencias para las cartas

Debe incluir la fecha, el lugar, el destinatario, el remitente, el encabezamiento formal y, al final, la línea de despedida. En el cuerpo de la carta puede ayudarse de los siguientes modelos:

OPCIÓN 2

MOTIVOS DE LA CARTA

☐ Les escribo para decirles que se ha producido un error en el pedido (número) recibido (fecha)…

☐ Me pongo en comunicación con ustedes para comunicarles que se ha producido una equivocación en el pedido (número) recibido (fecha)…

(Se especifica nº de pedido y fecha de recepción).

CARTA DE RECLAMACIÓN

☐ Yo había pedido ....(1)........, pero / sin embargo he recibido ......(2)........ .

☐ Me han enviado ......(2)........., cuando había pedido ......(1)......... .

☐ En el pedido constaban los siguientes productos: ....(1)......... . Por el contrario, he recibido: ......(2)........ .

(1) Enumeración de productos, número de unidades y marcas pedidas.
(2) Enumeración de productos, número de unidades y marcas enviadas.

DESEOS DE RESOLUCIÓN Y OBTENCIÓN DE UNA EXPLICACIÓN

☐ Espero una explicación y una rápida solución del error…

☐ Espero que este error se solucione rápidamente y que puedan darme una explicación satisfactoria de lo sucedido…

☐ Confío en que pueda subsanarse esta confusión lo más rápidamente posible y que no vuelvan a producirse casos / sucesos como este…

MAYOR EXIGENCIA

☐ Exijo una explicación de lo sucedido, de lo contrario me veré obligado/-a a tomar medidas (legales)…

☐ Me resulta indignante que se produzcan sucesos como este…

☐ Creo que su empresa debe procurar que no se produzcan casos como este…

Anota el tiempo que has tardado:

Recuerda que solo dispones de **60 minutos**

Preparación Diploma de Español (Nivel Intermedio)

PRUEBA 3  Comprensión Auditiva

30 min Tiempo aproximado para los cuatro textos

CD Audio
Pista 1

TEXTO 1

VINAGRE: "EL ARMA SECRETA DE LA NATURALEZA"

PREGUNTAS

1. En la audición se dice que el vinagre no es solo un complemento culinario.

a) Verdadero.
b) Falso.

2. Según la grabación, el vinagre sirve tanto para los dolores como para la limpieza.

a) Verdadero.
b) Falso.

3. Según la audición, desde la antigüedad, todo el mundo ha utilizado el vinagre, la miel o el ajo como solución a determinados problemas.

a) Verdadero.
b) Falso.

CD Audio
Pista 2

TEXTO 2

LAS SETAS

PREGUNTAS

4. Según la audición, las setas:

a) Tienen un gran contenido en vitaminas y minerales.
b) Tienen mucho calcio.
c) Favorecen la absorción del sol.

5. En la grabación se dice que son ideales para:

a) Todo tipo de personas.
b) Mujeres.
c) Los que quieren hacer dieta.

6. En la grabación, para apreciar mejor el sabor, se recomienda:

a) Cocinarlas con poco aceite.
b) Servirlas con carnes y pescados.
c) Una elaboración previa.

CD Audio

Pista 3

TEXTO 3

EL CHURRASCO

PREGUNTAS

7. En la grabación se dice que el verdadero churrasco:

   a) Es una receta de Juana Manuela Gorriti.

   b) Lo inventó Mercedes Torino de Pardo.

   c) Es una receta de los gauchos.

8. Según la audición, para la preparación:

   a) Hay que dejar los pellejos, nervios y grasas.

   b) Hay que lavarlo bien.

   c) Hay que echar mucha sal.

9. En la audición se dice que:

   a) Hay que preparar el fuego al lado de la cama.

   b) Cada lado del churrasco se hace sobre las mismas brasas vivas.

   c) El churrasco tiene que estar muy poco tiempo sobre las brasas.

CD Audio

Pista 4

TEXTO 4

MESÓN "EL CID"

PREGUNTAS

10. Según la grabación, el origen del restaurante fue:

   a) Un merendero.

   b) Una zona de cañas.

   c) Un museo etnológico.

11. En la cocina, tiene más éxito:

   a) La comida "de cuchara".

   b) La comida con productos naturales.

   c) La comida artesanal de nueva creación.

12. En la grabación se afirma que la clientela del restaurante es:

   a) Solo gente pudiente.

   b) Gente de todo tipo.

   c) Solo gente del campo.

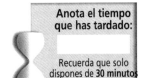

Anota el tiempo que has tardado:

Recuerda que solo dispones de **30 minutos**

examen 1

PRUEBA 4  Gramática y Vocabulario

60 min Tiempo disponible para hacer todos los ejercicios de la sección 1 y 2

SECCIÓN 1: Texto incompleto

TUTHANKHAMON BEBÍA VINO BLANCO

Una investigación financiada por la Fundación para la Cultura del Vino, de España, ha permitido identificar restos de vinos blancos y tintos en las ánforas ____1____ en la tumba de Tuthankhamon. Hasta ahora se ____2____ que en el Antiguo Egipto solamente se conocía y producía el vino tinto. ____3____ confirma que el *sheded*, una bebida muy refinada y apreciada y a la que se hace referencia en multitud de documentos, se elaboraba también con uvas.

El faraón consumía vinos elaborados con técnicas muy similares ____4____ las actuales, y las ánforas ofrecían información relativa al año de elaboración, la zona de producción, la propiedad, la calidad y ____5____ el nombre del vinicultor responsable; ____6____ no se anotaba qué tipo de vino era, blanco o tinto. El vino tenía una consideración social y económica que lo situaba ____7____ las bebidas más preciadas, muy por delante de la cerveza, cuyo coste era diez veces menor. El faraón y los templos eran los grandes ____8____ de viñedos.

Todas estas ____9____ han quedado resueltas ahora, una vez finalizado el trabajo de investigación ____10____ por la Fundación para la Cultura del Vino y dirigido por Mª Rosa Guasch.

La documentación más completa y extensa sobre la elaboración del vino ____11____ de Egipto. La viña se cultivaba ____12____ cinco mil años en el Delta del río Nilo. ____13____ todo, el estudio histórico y arqueológico todavía presenta aspectos desconocidos.

La importancia política, social y religiosa del vino en el Antiguo Egipto era bien conocida y está documentada ____14____ multitud de inscripciones, pinturas murales y representaciones iconográficas.

En las tumbas se ____15____ ánforas de vino ____16____ ofrenda para que el muerto pudiera disponer de ellas también en el Más Allá.

Los ____17____ egipcios sabían que la tierra situada detrás de los límites de la inundación era la más adecuada para ____18____ viñas. La viña se plantaba cerca del río, en una zona no inundable. Las tierras pedregosas en el límite ____19____ desierto proporcionaban los vinos de más reputación.

La región vinícola más conocida ____20____ 1543 y 1078 era el "Río Occidental", al suroeste de Alejandría.

Adaptado de *www.elmundovino.com*

1.	a) situadas	b) encontradas	c) puestas
2.	a) piensa	b) pensaba	c) ha pensado
3.	a) Asimismo	b) A sí mismo	c) Lo mismo
4.	a) de	b) con	c) a
5.	a) incluso	b) además	c) igualmente
6.	a) sino	b) pero	c) por el contrario
7.	a) por	b) en	c) entre
8.	a) señores	b) propietarios	c) amos
9.	a) afirmaciones	b) enigmas	c) dudas
10.	a) financiado	b) financiada	c) financiados
11.	a) se origina	b) procede	c) es
12.	a) hace	b) desde hace	c) desde
13.	a) A pesar de que	b) Aunque	c) A pesar de
14.	a) con	b) por	c) en
15.	a) depositan	b) depositaron	c) depositaban
16.	a) como	b) para	c) por
17.	a) viejos	b) antiguos	c) mayores
18.	a) plantaran	b) plantar	c) plantaron
19.	a) para el	b) del	c) por el
20.	a) entre	b) de	c) por

SECCIÓN 2: Selección múltiple

Ejercicio 1

21.
- ¿Quieres un poco más?
- No, gracias, **me he puesto morado**.

    a) estoy lleno
    b) no tengo hambre
    c) acabo de comer

22.
- ¿Qué tal lo pasasteis Pepe y tú en la fiesta?
- Bien, pero en el camino a casa **nos pusimos como una sopa**.

    a) nos cansamos mucho
    b) nos mojamos
    c) discutimos

23.
- Luis tiene que madurar, ¿no crees?
- Sí, está acostumbrado a que le **saquemos las castañas del fuego**.

    a) hagamos su trabajo
    b) perdonemos sus errores
    c) solucionemos sus problemas

24.
- Isabel lleva mucho tiempo hablando con esos hombres.
- Sí, es que rodeada de informáticos está **en su salsa**.

    a) en un entorno cómodo
    b) en una situación divertida
    c) en una situación comprometida

25.
- Voy a comprar, ¿quieres que traiga algo?
- Pregunta a Carlos. Ya sabes que él es el que **corta el bacalao** aquí.

    a) entiende de comida
    b) da las órdenes
    c) prepara la cena

26.
- Cuando le pregunté a Pedro por su novia, **se puso como un tomate**.
- ¿Sí? ¿Cómo se lo dijiste?

    a) se avergonzó
    b) se enfadó
    c) se echó a reír

27.
- Esta tarde tengo la entrevista de trabajo. **¡Estoy como un flan!**
- Ya verás que todo sale bien.

    a) Estoy preocupado
    b) Estoy asustado
    c) Estoy nervioso

28.
- ¿Qué te pasa? Parece que estás de mal humor.
- Sí, es que me he visto envuelto en una situación embarazosa en el trabajo **sin comerlo ni beberlo**.

    a) sin hacer nada para ello
    b) porque no quería comer ni beber
    c) por comer y beber en el trabajo

29. ▪ ¿Sabes que viene Pedro a la conferencia de mañana?
   • **Me importa un comino**.

   a) No me importa
   b) Me importa
   c) Me importa mucho

30. ▪ ¿Qué te parece el metro de Madrid?
   • Rápido, limpio, fácil, pero a determinadas horas vamos **como sardinas en lata**.

   a) muy juntos
   b) como peces en el agua
   c) incómodos

Ejercicio 2

31. ▪ ¿Dónde _____ la cena?
   • En un bar de tapas, cerca de casa de Antonio.

   a) es
   b) está

32. ▪ ¿Has preparado las chuletas?
   • Sí, _____ en el horno.

   a) son
   b) están

33. ▪ Pero, ¿_____ normal esto?
   • Sí, claro.

   a) está
   b) es

34. ▪ ¿_____ listo ya?
   • Sí, cuando quieras.

   a) Eres
   b) Estás

35. ▪ El pollo de ayer estaba delicioso. ¿Cómo lo preparaste?
   • En la sartén, con verduras. _____ haciéndose treinta minutos.

   a) Estuvo
   b) Estaba

36. ▪ Me ha dicho Juan que te vio ayer.
   • Sí, me lo encontré cuando _____ corriendo por el parque.

   a) fui
   b) iba

37. ▪ ¿Te ha sentado mal el guiso?
   • Sí, un poco, _____ el ajo. Me repite mucho.

   a) por
   b) para

38. ▪ ¿Has repartido las invitaciones?
   • Sí, he entregado dos _____ persona.

   a) por
   b) para

39. ▪ ¿Qué naranja quieres?
• Me da igual, _____.
   a) cualquier
   b) cualquiera

40. ▪ ¿Quién te lo ha dicho?
• No me lo ha dicho _____, pero no era difícil adivinarlo.
   a) alguien
   b) nadie

41. ▪ ¿Por qué te enfadaste tanto?
• Porque mi novio no quiso llevarnos. Nos dijo que _____ en un taxi.
   a) íbamos
   b) vayamos
   c) fuéramos
   d) hubiéramos ido

42. ▪ Ayer, en la sobremesa, Pepe actuó como si _____ el jefe.
• Sí, es que había bebido un poco.
   a) fuera
   b) sería
   c) era
   d) hubiera sido

43. ▪ No _____ tantas especias a la salsa, que va a estar muy fuerte.
• Vale, ya no echo más.
   a) pongas
   b) pon
   c) pondrás
   d) pones

44. ▪ Creo que viene Ander a la fiesta.
• Pues como _____, voy a ponerme a dar saltos de alegría.
   a) viene
   b) vendrá
   c) venga
   d) va a venir

45. ▪ Me parece que nos _____ bebida.
• ¿Tú crees? Si hay mucha, y seremos solo unos quince.
   a) vaya a faltar
   b) falte
   c) faltara
   d) va a faltar

46. ▪ Me parece bien que _____ la carne poco hecha.
• Sí, yo creo que es lo mejor. Si alguien quiere, se le da una vuelta.
   a) vas a preparar
   b) prepararás
   c) preparas
   d) prepares

47. ▪ ¿Vais a encargar, al final, la paella para el sábado?
    • Sí, _____ hable con Luis, llamaré.

    a) antes de que
    b) después de
    c) en cuanto
    d) nada más

48. ▪ Pedro es un poco antipático, ¿no?
    • No, _____ es muy tímido.

    a) como
    b) porque
    c) lo que pasa es que
    d) lo que pasa

49. ▪ ¿Vas a preparar algún plato de cuchara?
    • Quizás, _____ venga Silvia, porque a ella le gustan mucho los guisos.

    a) en caso de que
    b) a no ser que
    c) como
    d) con que

50. ▪ ¿Todavía no ha llegado Juan?
    • No, _____ ha tardado mucho el autobús en llegar.

    a) es posible que
    b) puede que
    c) a lo mejor
    d) es seguro que

51. ▪ No queda tila ni poleo, _____ voy a bajar a comprar infusiones.
    • Vale, compra también manzanilla, que ya queda poca.

    a) porque
    b) de ahí que
    c) así que
    d) como

52. ▪ Coge _____ quieras, yo no los necesito.
    • ¡Ah!, pues gracias. La verdad es que me vienen muy bien.

    a) el que
    b) los que
    c) las que
    d) que

53. ▪ ¿Preparo el pescado al horno o a la plancha?
    • Haz _____ quieras.

    a) el que
    b) los que
    c) lo que
    d) que

54. ▪ Estoy _____ comprar la vajilla, me gusta mucho.
• ¿Y por qué no te decides? Está muy bien de precio.

    a) para
    b) a
    c) de
    d) por

55. ▪ ¿Qué es un cazo?
• Es un recipiente _____ el que calientas agua, leche...

    a) por
    b) en
    c) a
    d) dentro de

56. ▪ ¿Te has dado cuenta _____ quién ha venido?
• Sí, sí, ya lo he visto.

    a) a
    b) para
    c) de
    d) por

57. ▪ ¿No comes? ¿Quieres adelgazar?
• No, algo me sentó mal ayer y estoy _____ dieta.

    a) a
    b) en
    c) con
    d) de

58. ▪ Faltan los platos _____ postre.
• Ahora los traigo.

    a) con
    b) a
    c) para
    d) de

59. ▪ ¿Le has dicho que no puede venir?
• No, todavía no. No sé cómo _____ .

    a) decírtelo
    b) decírtela
    c) decírselo
    d) decírsela

60. ▪ Yo creo que es mejor comer en casa, así podemos hacer la sobremesa que queramos sin que nos interrumpa nadie.
• Sí, yo también pienso lo mismo, y _____ he dicho a ellos.

    a) te lo
    b) se lo
    c) se los
    d) se la

Anota el tiempo que has tardado:

Recuerda que solo dispones de **60 minutos**

PRUEBA 5  Expresión Oral

 **10-15** min Tiempo disponible de preparación

 **10-15** min Tiempo disponible de conversación para toda esta prueba

Descripción de láminas

Elija una de estas historietas, descríbala y cuente lo que sucede.

HISTORIETA 1

Póngase en el lugar del cliente:

¿Qué le diría al camarero?: "_____"

HISTORIETA 2

Póngase en el lugar del hombre de la corbata:

¿Qué diría?: "_____"

Temas para la exposición oral

Prepare un tema durante 10-15 minutos. Después preséntelo oralmente. Aquí tiene unas sugerencias: puede hablar de todos los puntos o elegir el / los que considere más interesante/-s.

TEMA 1:

¿COMER EN CASA O EN EL RESTAURANTE?

- Ventajas y desventajas. ¿Cuál de las dos opciones prefiere usted? ¿Por qué?
- La sobremesa.
- La comida el fin de semana y la comida los días laborables.
- Horarios.
- ¿Es más sana la comida elaborada en casa que la del restaurante?
- ¿Qué tipo de platos suele pedir usted en un restaurante?
- ¿Se comía mejor antes que ahora? Razone su respuesta.
- ¿Cómo son los restaurantes en su país? Comente el servicio, horarios, tipos, etc.

TEMA 2:

LA ALIMENTACIÓN ACTUAL

- ¿Piensa usted que el ritmo de vida actual está condicionando nuestra dieta? ¿En qué medida?
- ¿Es posible alimentarse bien cuando se tiene poco tiempo y se trabaja fuera de casa?
- ¿Piensa que ahora comemos peor o mejor que antes? ¿Por qué?
- ¿Sigue usted una dieta sana?
- ¿Presta usted atención a la composición de los productos que compra? ¿Mira la composición y los ingredientes?
- Si tiene poco tiempo para comer, ¿qué prefiere?:
  - Raciones y pinchos.
  - Hamburguesas, bocadillos, montados, perritos calientes, sándwiches, etc.
  - Comida preparada.
  - Comida precocinada.
  - Dulce o salado.

examen 2

OCIO, DEPORTES Y VACACIONES

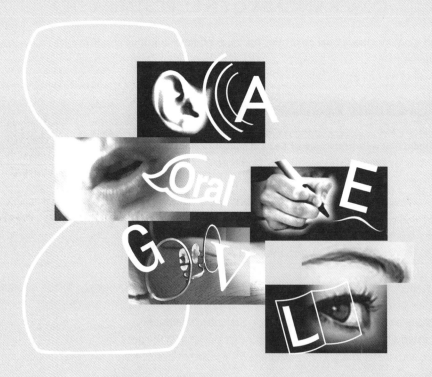

VOCABULARIO

FICHA DE AYUDA
para la Expresión Escrita
y la Expresión Oral

LECTURA

Ensayo (el) ....
Teatro (el) ....
Novela (la) ....
Poesía (la) ....
Trata de… ....
Va de… ....
Voy por (la página)… ....
Tema (el) ....

DEPORTE

Equipo (el) ....
Cancha (la) ....
Campo (el) ....
Pista (la) ....
Jugar a… ....
Hacer deporte ....
Practicar un deporte ....
Portero (el) ....

TIEMPO LIBRE

Disfrutar ....
Divertirse ....
Hacer puente ....
Coger un día libre ....
Estar fuera ....
Estar de vacaciones ....
El puente de… ....
Descansar ....
Relajarse ....
Ir de copas ....
Salir de marcha ....
Volver a las tantas ....
Salir por ahí ....
Dar una vuelta ....
Tomar algo ....
Dar por… ....

VIAJES

Agencia de viajes (la) ....
Estación (la) ....
Aeropuerto (el) ....
Puerto (el) ....
Aduana (la) ....
Asiento (el) ....
Plaza (la) ....
Reservar / Hacer una reserva ....
Facturación (la) ....
Confirmar (la reserva) ....
Con retraso ....
Cancelar / Cancelación (la) ....
Salida (la) ....
Llegada (la) ....
Billete de ida y vuelta (el) ....
Billete sencillo (el) ....
Abono de transportes (el) ....
Guía (la) ....
Guía (el) ....
Mapa (el) ....
Folleto (el) ....
Moneda (la) ....
Alta mar (el) ....
Tierra firme (la) ....

ALOJAMIENTOS Y CONDICIONES

Casa rural (la) ....
Hotel (el) ....
Hostal (el) ....
Albergue (el) ....
"Camping" (el) ....
Tienda de campaña (la) ....
Saco de dormir (el) ....
Desayuno incluido (el) ....
Media pensión (la) ....
Pensión completa (la) ....

EXPRESIONES RELACIONADAS CON EL TIEMPO LIBRE

No dar un palo al agua ....
No pegar ni palo ....
Tocarse / Rascarse la barriga ....
Estar como una moto ....

Caérsele a uno la casa encima ....
No parar en casa ....
Pasarlo bien / bomba / pipa ....
Tumbarse a la bartola ....

60 min Tiempo disponible para los cuatro textos

TEXTO 1
EL ÁLBUM FOTOGRÁFICO DEL FUTURO

Si hacemos un recorrido por las colecciones de ayer y de hoy, cabe preguntarse sobre el papel de las nuevas tecnologías en la génesis de los álbumes fotográficos. Y la respuesta es que, lejos de languidecer, la fotografía se encuentra en un momento de glorioso renacimiento.

En el siglo pasado, la fotografía se constituyó en el eje básico del relato biográfico y familiar. La edición de las fotografías en álbumes, con las consiguientes tareas de recopilación, orden y jerarquía de las imágenes que lo componían, recayó mayormente en las mujeres de la casa, narradoras del devenir familiar. Este libro (que muchas veces no incluía ni una sola palabra) era consultado por su autor como una enciclopedia de su pasado, y era compartido también por la asamblea formada por los miembros sobrevivientes de la familia.

El progreso tecnológico experimentado por la fotografía a lo largo del siglo XX permitió la diversificación de los temas. El descenso de los precios de películas y copias contribuyó al crecimiento del álbum en volumen y episodios registrados.

Pero fue en los años noventa cuando la fotografía digital abrió un mundo nuevo para el fotógrafo de familia: la fotografía ilimitada y gratis. Más fotos se convirtieron automáticamente en más temas. Entre los millones de fotos digitales que se realizan cada año, no todas son de casamientos, ni nacimientos, ni primeros días de nada. Lo que cuenta ahora es la singularidad del fotógrafo. El tema de la foto es lo que el fotógrafo mira: un árbol, un cartel, un perro, la sombra peculiar de algo, un plato de comida, sus pies... Empiezan a desaparecer los individuos y el tema se convierte en algo vacío que las personas reconocen frente a ellos, una cosa incierta pero propia que tienen delante todo el tiempo. Al crecer el volumen de fotos, se despoja de sentido a la imagen individual: las fotos digitales pertenecen a un ecosistema enorme. Una imagen carece de significado propio, solo tiene sentido en ese conjunto extendido. El álbum fotográfico se convierte en un calendario extenso, real, aburrido y cotidiano, representado en miles de imágenes que no son sino anotaciones personales, observaciones significativas para el mundo interior del fotógrafo, en un monólogo que no es otra cosa que un diario personal.

Adaptado de *www.lanacion.com.ar*, Argentina, 05-12-2005

PREGUNTAS

1. Según el texto, la creación y el mantenimiento de los álbumes era principalmente responsabilidad de las mujeres.

a) Verdadero.
b) Falso.

2. En el texto se afirma que en las fotos digitales predominan los temas de objetos vacíos.

a) Verdadero.
b) Falso.

3. Según el texto, el álbum fotográfico digital puede contener anotaciones hechas por el fotógrafo.

a) Verdadero.
b) Falso.

TEXTO 2

JORNADAS DE TURISMO EN CANARIAS

Cuando nos invitaron a las *VII Jornadas de Turismo de Canarias*, sin haber visto ni hojeado la programación de los actos de estas Jornadas, pensamos que, durante los ocho días que iba a durar este evento, podríamos disfrutar al máximo de las excelentes instalaciones y servicios de sus complejos hoteleros, así como de los baños en sus aguas cristalinas y de los paseos por sus magníficas playas, que son el emblema de Canarias.

Pues bien, nada más leer el programa de actividades de estas jornadas, pudimos comprobar que el itinerario sería diferente y que el baño se quedaría para otra ocasión. A cambio se nos ofreció la posibilidad de descubrir "la otra" parte de estas islas, su "turismo interior". Y no se nos defraudó, muy al contrario, en el amplio recorrido que hicimos, todo nos cautivó y maravilló: su entorno, la belleza de sus paisajes, sus atractivos y originales municipios llenos de historia y de riqueza cultural...

Nuestro primer destino fue Gran Canaria, isla que se encuentra en la zona atlántica de la Macronesia, a unos 210 Km del puerto más cercano de la costa africana y a 1250 Km de Cádiz, el puerto continental europeo más próximo. De origen volcánico, la característica más señalada de la isla es su redondez, solo interrumpida por un apéndice en su extremo noroeste: la península Isleta, telón de fondo panorámico de la capital de la isla, Las Palmas de Gran Canaria.

Desde el aeropuerto de Gran Canaria nos trasladamos al municipio de Puerto Rico, en la parte oeste de la isla. Allí nos embarcamos en un catamarán e hicimos un recorrido por el litoral de los municipios de Puerto Rico, Puerto de Mogán, Veneguera, etc. Observamos los contrastes de sus orillas y de sus acantilados, y nos sorprendió la arquitectura escalonada de sus edificios enclavados en la montaña, que les proporciona excelentes vistas al mar.

Desde el Puerto de Mogán nos internamos 8 Km por carretera, hasta llegar al fértil Valle del Mogán, de maravilloso microclima subtropical, con temperaturas suaves y constantes durante todo el año, considerado por la UNESCO como el mejor del mundo.

Adaptado de *www.elalmanaque.com/turismo/canarias*, 31-12-2005

PREGUNTAS

4. En el texto se afirma que:

a) En las *VII Jornadas de Turismo de Canarias* los invitados iban a disfrutar de los hoteles y de las famosas playas de las islas.
b) Los invitados comprobaron cuando llegaron a la isla que no iban a llevarlos a la playa.
c) El programa de actos de estas jornadas turísticas era diferente al esperado.

5. En el texto se dice que la isla de Gran Canaria:

a) Fue donde empezó el recorrido.
b) Entusiasmó a los visitantes por la belleza de sus paisajes.
c) Tiene al noroeste una pequeña isla llamada Isleta.

6. Según el texto:

a) Los visitantes recorrieron por la costa los pueblos de Puerto Rico, Puerto de Mogán...
b) Los visitantes se sorprendieron por los pueblos situados en lo alto de las montañas.
c) Puerto de Mogán cuenta con un microclima único en el mundo.

TEXTO 3

LOS ESPAÑOLES PREFIEREN EL CINE Y LA MÚSICA

Los españoles parecen decididos a destrozar ciertos tópicos sobre sus hábitos culturales, decía ayer la ministra de cultura, Carmen Calvo, junto a Tedy Bautista, presidente del consejo de dirección de la Sociedad General de Autores y Editores (SGAE), que presentó la *Encuesta sobre hábitos y prácticas culturales en España.*

Ha sido un estudio amplio e intenso para mostrar esta gran fotografía cultural. Una investigación por muestreo de carácter no periodístico impulsada por la SGAE y Cultura en la que se han realizado 12.180 entrevistas a las personas de 15 años en adelante residentes en viviendas familiares del territorio nacional, a excepción de Ceuta y Melilla.

Calvo destacó que escuchar música es la actividad favorita de los españoles y la variedad es la característica. Se oye de todo y la música clásica experimenta un crecimiento. La mitad de los encuestados declara comprar al menos un disco al año.

El cine es la otra actividad estrella. Los españoles van más al cine que los europeos y en cuanto a las puntuaciones hay más sorpresas: los ciudadanos prefieren el cine español al europeo, aunque el estadounidense sigue siendo el rey de las preferencias.

Aunque casi la tercera parte de los encuestados muestra interés por el teatro, solo va habitualmente un poco más de la cuarta parte y menos del diez por ciento acude a danza, ópera o zarzuela.

La lectura ha dado grandes alegrías, ya que más del cincuenta por ciento de los encuestados dice leer alguna vez, aunque habitualmente no se llegue a la mitad del libro.

Aun así, la reina del entretenimiento sigue siendo la televisión: casi un cien por cien de los encuestados asegura utilizarla un tiempo medio de 165 minutos diarios y en los contenidos destacan los informativos, el cine, los documentales y las series de ficción.

Las nuevas tecnologías, Internet y el ordenador, principalmente, van robando tiempo libre a la televisión, pese a que todavía no son de consumo mayoritario.

Bautista destacó la importancia del estudio y espera que se repita periódicamente la experiencia.

Adaptado de *El País,*1-04-2005

PREGUNTAS

7. Según el texto:

a) Han cambiado las costumbres españolas respecto al tiempo libre.

b) En la encuesta se reflejan las costumbres españolas.

c) Se presentó una gran fotografía de los encuestados.

8. Según los resultados de la encuesta:

a) Los españoles ven principalmente películas españolas.

b) El cine estadounidense es el más visto.

c) El interés por el cine europeo está decayendo.

9. En el texto se dice que:

a) Han cambiado los hábitos de lectura.

b) Los hábitos de televisión están cambiando.

c) Las nuevas tecnologías están por delante de la lectura.

TEXTO 4
EL VIAJE EN BARCO

Tumbadas en las sillas *charlottes* de la cubierta superior, dos mujeres se entretienen observando a los peces voladores que forman destellos sobre el mar oscuro. La más joven es una española que acaba de cumplir diecisiete años. Se llama Ana Delgado Briones. La otra es su dama de compañía.

–Esta noche, durante la cena en la mesa del capitán, chisst... –dice Madame Dijon con aire cómplice, colocándose un dedo sobre los labios en señal de silencio.

La española asiente con la cabeza. Están invitadas a cenar en la mesa del capitán porque... ¡Es la última noche! A la joven le parece mentira. El viaje se le ha hecho interminable. Los primeros días quería morirse de tan mareada como estaba y le suplicaba a su dama de compañía que la autorizase a desembarcar en la próxima escala. Lola, su doncella malagueña, una chica pequeña, morena y vivaracha que viaja en un camarote de tercera clase, también ha querido morirse: "¡Esto es peor que un carricoche!", clamaba entre arcadas, cuando subía a atender a "su señora" cada vez que la llamaba. A Lola se le habían acabado los mareos al calmarse el mar, pero Anita ha seguido con náuseas y vértigos durante todo el viaje. Está ansiosa por pisar tierra firme; el mar no es lo suyo. Además, lleva soñando durante más de un año con su nuevo país. "¿Cómo será la India?", se pregunta siempre que un pasajero comenta que no se parece a nada de lo que un europeo pueda conocer, ni siquiera imaginar.

Durante la travesía, Ana ha sido el blanco de todas las miradas y de todas las habladurías tanto por su atractivo como por el misterio que la rodea. Las magníficas joyas que le gusta lucir revelan a una joven adinerada; sin embargo, su temperamento dicharachero y su manera de hablar, en un francés defectuoso y con acento andaluz, evocan un origen incierto. Todo en ella es desconcertante, lo que añadido a su desconcertante belleza y a su chispa, atrae a los hombres como a las abejas a un panal de miel.

Al oír la campana que anuncia la cena, las dos mujeres bajan al restaurante. El capitán las ha invitado a su mesa, a la cena de despedida. Los otros comensales son tres miembros del cuerpo diplomático francés.

–Se ha creado mucho misterio en torno a su persona durante la travesía. Al día de hoy, no sabemos todavía el motivo de su viaje a la India y nos devora la curiosidad.

–Ya se lo dije en una ocasión, *monsieur*. Vamos a casa de unos amigos.

Anita y Madame Dijon se han puesto de acuerdo en esa mentirijilla. Están decididas a guardar el secreto hasta el final. Pero nadie las cree, una joven tan atractiva, tan enjoyada y encima española es algo inaudito en la India de 1907.

Adaptado de *Pasión India*, Javier Moro, Ed. Seix Barral, Barcelona, 2005

PREGUNTAS

10. Anita:

a) Tiene ansiedad por el viaje en barco.

b) Está deseando bajar del barco.

c) Le ruega a su dama de compañía que se baje en la siguiente escala.

11. Según el texto:

a) Ana ha despertado mucho interés entre los viajeros.

b) El capitán se siente atraído por Ana.

c) Ana es una mujer seria y de pocas palabras.

12. Anita y Madame Dijon:

a) Van a la India a visitar a unos amigos.

b) Están deseando visitar la India.

c) Han pactado contar a los viajeros lo mismo sobre su viaje.

Anota el tiempo que has tardado:

Recuerda que solo dispones de **60 minutos**

PRUEBA 2 — Expresión Escrita

PARTE Nº 1. Carta personal

Tiempo disponible para escribir los dos textos, primero en borrador y luego en la hoja de respuesta a limpio

OPCIÓN 1

Usted ha realizado una excursión en compañía de unos amigos. Han pasado un par de meses desde entonces y no sabe nada de ellos, a pesar de que habían quedado en enviarle algunas fotos que le habían hecho a usted. Escríbales una carta en la que deberá:

- Saludar a sus amigos.
- Reprocharles amistosamente que no le hayan enviado las fotos.
- Recordar algún detalle o anécdota de la excursión.
- Proponerles una nueva excursión.
- Animarles y pedirles una respuesta rápida y despedirse.

OPCIÓN 2

El viaje que usted planeó cuidadosamente ha resultado un fracaso. Escriba una carta a la agencia de viajes en la que:

- Salude y se identifique.
- Explique los contratiempos del viaje: vuelos, hoteles, excursiones, guías...
- Exija una compensación económica.
- Pida una respuesta rápida y advierta de las medidas que tomará en caso contrario.

PARTE Nº 2. Redacción

OPCIÓN 1

Todos recordamos, y usted seguro que también, alguna excursión o algún viaje que se nos ha quedado grabado por alguna razón. Escriba una redacción en la que:

- Describa los detalles: lugar, fechas, alojamiento...
- Describa las personas con las que iba.
- Cuente alguna anécdota o algo curioso que le ocurrió.
- Explique por qué fue especial.

OPCIÓN 2

"Para descansar de verdad lo mejor es quedarse en casa durmiendo y viendo la televisión". Escriba una redacción en la que:

- Dé argumentos a favor o en contra de esta afirmación.
- Exprese su opinión al respecto.
- Proporcione ejemplos que justifiquen su opinión.
- Elabore una breve conclusión.

Sugerencias para las cartas

Recuerde que debe incluir la fecha, el lugar, el destinatario, el remitente, el encabezamiento formal y, al final, la línea de despedida. En el cuerpo de la carta puede ayudarse de los siguientes modelos:

OPCIÓN 1

REPROCHAR AMISTOSAMENTE

- ☐ Como vosotros no escribís, (como habíais quedado), pues tengo que hacerlo yo. ¿Tenéis ya las fotos?
- ☐ ¿Habéis tenido algún problema con las fotos? Es que, como todavía no las he recibido…
- ☐ ¿No me habíais dicho que ibais a mandarme las fotos de la excursión?
- ☐ Todavía estoy esperando que me mandéis las fotos…
- ☐ ¿Qué tal las fotos? ¿Estamos bien? A ver si me las mandáis, que tengo muchas ganas de verlas.

ANIMARLES Y PEDIR UNA RESPUESTA RÁPIDA

- ☐ Contestadme en cuanto podáis, (porque necesito organizarme…)
- ☐ Espero que os animéis, pero escribidme con lo que sea cuanto antes.
- ☐ Cuento con vosotros, no me falléis y confirmádmelo en seguida…
- ☐ Escribidme en seguida y decidme que sí…
- ☐ Animaos y venid conmigo. Espero vuestra respuesta.

OPCIÓN 2

PRESENTACIÓN Y EXPOSICIÓN DEL PROBLEMA

- ☐ Me pongo en comunicación con ustedes para informarles de una serie de percances ocurridos en el viaje contratado con su agencia (datos: destino, fechas, números de vuelo…)
- ☐ El motivo de esta carta es denunciar los desagradables incidentes ocurridos en el viaje contratado con su agencia (destino, fecha, etc…)
- ☐ Me llamo .... y le escribo en relación con unos desagradables sucesos ocurridos en el viaje a (destino), los días (........) con vuelos de (........) contratado con su agencia…

PEDIR COMPENSACIÓN Y HACER UNA ADVERTENCIA

- ☐ A la vista del incumplimiento de contrato reclamo la devolución del importe íntegro del viaje.
- ☐ Como ustedes no han cumplido el contrato, les pido la devolución completa del dinero o una compensación equivalente al precio del viaje.
- ☐ Por todo ello, les exijo que me devuelvan el dinero o que me compensen con otro viaje del mismo precio…
- ☐ En caso de no obtener respuesta suya en el plazo de una semana, tomaré medidas legales contra ustedes.
- ☐ Si no recibo noticias dentro de una semana les denunciaré ante la Organización de Consumidores.
- ☐ Espero una respuesta inmediata, en caso contrario me veré obligado/a a denunciarles.

Anota el tiempo que has tardado:

Recuerda que solo dispones de **60 minutos**

PRUEBA 3  Comprensión Auditiva

30 min Tiempo aproximado para los cuatro textos

CD Audio
Pista 5

TEXTO 1

CASAS Y DEPARTAMENTOS EN RENTA PARA VACACIONES

PREGUNTAS

1. Según la audición, todas las casas y departamentos tienen piscina / alberca.

a) Verdadero.
b) Falso.

2. Todas las casas que ofrecen están cerca del mar.

a) Verdadero.
b) Falso.

3. Todos los condominios tienen terraza.

a) Verdadero.
b) Falso.

CD Audio
Pista 6

TEXTO 2

RENTING, ESTRENE COCHE CON TODO INCLUIDO DE SERIE

PREGUNTAS

4. Según la grabación, el *renting* es una opción muy interesante:

a) Para vender un coche usado.
b) Para disponer de un coche nuevo.
c) Para poder escoger un buen coche.

5. En la grabación se dice que con el sistema de *renting*:

a) La tarifa depende del tipo de seguro, del mantenimiento y de las revisiones.
b) Se paga todos los meses la misma cantidad de dinero.
c) La duración del contrato es de 48 o de 60 meses.

6. En la grabación se afirma que con el *renting*:

a) La gasolina está incluida en la tarifa plana.
b) Si el usuario realiza más kilómetros de los contratados, debe pagar más dinero a la empresa.
c) Solo se puede escoger entre turismos de menos de 3.500 Kg.

CD Audio
Pista 7

TEXTO 3

INTERCAMBIO DE VACACIONES

PREGUNTAS

7. Según la grabación, el Club Intervacaciones:

a) Ofrece un nuevo servicio de intercambio de casas y apartamentos.
b) Lleva dos años rentabilizando al máximo sus propiedades.
c) Le permite escoger la forma de pasar sus vacaciones.

8. Según la audición:

a) Los anuncios de ofertas de casa deben incluir tres fotografías.
b) Para ofrecer nuestras propiedades hay que rellenar unos datos después de registrarse.
c) El sistema cuenta con un servicio de comprobación de la eficacia de los anuncios.

9. En la audición se afirma que:

a) Los anuncios de alquiler y venta son de pago.
b) Ser usuario de este club no cuesta nada.
c) Para obtener información detallada se aplicarán las tarifas vigentes.

CD Audio
Pista 8

TEXTO 4

DAVID BARRUFET, PORTERO DE BALONMANO

PREGUNTAS

10. Según el texto:

a) En el colegio un profesor animó a David a jugar al balonmano.
b) De niño siempre quiso jugar al baloncesto.
c) A David no le quedó otro remedio que ser portero.

11. Respecto al tiempo libre, David dice que:

a) No tiene tiempo libre porque está estudiando derecho.
b) Siempre está muy ocupado.
c) Lo pasa con sus hijos.

12. Respecto a sus hijos, David dice que:

a) Fue una gran experiencia presenciar el alumbramiento de sus hijos.
b) Tendrá el tercer hijo cuando puedan dormir bien por la noche.
c) Sus hijos ya cantan el himno del Barça.

Anota el tiempo que has tardado:

Recuerda que solo dispones de **30 minutos**

PRUEBA 4 · Gramática y Vocabulario

60 **Tiempo disponible**
min para hacer todos
los ejercicios de
la sección 1 y 2

SECCIÓN 1: Texto incompleto

DIEZ RAZONES DE PESO PARA HACER DEPORTE

¿Cuántas veces hemos oído decir que la práctica de ejercicio es fundamental para mantenerse sano? Seguramente cientos. Pero, ¿sabemos realmente cuáles son los beneficios ___1___ puede aportarnos el dedicar unas horas al día ___2___ poner nuestro cuerpo en forma? Le daremos una ___3___ de razones para moverse. Al ___4___ nuestro cuerpo, ponemos en marcha el corazón, y eso nunca está de ___5___ , ¿verdad? ___6___ ejercicio de forma moderada, pero regular, mantiene determinados tipos de cáncer a raya, entre ___7___ , el de colon y el de mama. Basta con media hora de actividad física al día (andar a ___8___ paso, bailar sin interrupción o ir al gimnasio) para disminuir en un 60% la posibilidad de ___9___ esta enfermedad. Por otra parte, no ___10___ mejor medicina para nuestro corazón ___11___ hacer un poco de ejercicio a diario. Caminar, subir las escaleras o bailar ayudan a ___12___ la circulación. Parece ser que la persona que incluye el ejercicio en su vida diaria ___13___ menos riesgos de sufrir un infarto o de tener la tensión alta. ___14___ , hay que tener en cuenta que el ejercicio debe ser moderado, sin excederse en la frecuencia ni en la intensidad, pues puede ___15___ contraproducente.

El deporte resulta igualmente eficaz para luchar contra una de las enfermedades más habituales ___16___ mujeres, la osteoporosis. Y es que el deporte fortalece los huesos. Nos ayudará además a perder peso de forma natural. Aunque ___17___ media hora al día, debemos dedicar un rato a hacer ejercicio, bien en un gimnasio o siguiendo en casa una sencilla tabla gimnástica. También nuestro ___18___ de ánimo saldrá beneficiado con el deporte. Este puede disminuir la ansiedad y el estrés derivados de la vida profesional. ___19___ trastornos son causa de depresión y absentismo laboral en la actualidad. En conclusión, el deporte se ___20___ en una gran ayuda para liberar tensiones, siendo también un excelente escudo contra algunas enfermedades.

Adaptado de *www.hola.com*

1.	a) que	b) los que	c) los cuales
2.	a) por	b) de	c) a
3.	a) fila	b) hilera	c) serie
4.	a) moviendo	b) mover	c) movido
5.	a) mucho	b) menos	c) más
6.	a) Tener	b) Tomar	c) Hacer
7.	a) estos	b) esos	c) ellos
8.	a) rápido	b) buen	c) gran
9.	a) padecer	b) aguantar	c) resistir
10.	a) tiene	b) existe	c) está
11.	a) que	b) como	c) cuanto
12.	a) renovar	b) aumentar	c) mejorar
13.	a) tiene	b) tenga	c) tuviera
14.	a) Dado que	b) Aunque	c) No obstante
15.	a) volver	b) ser	c) estar
16.	a) por	b) para	c) entre
17.	a) sea	b) será	c) es
18.	a) humor	b) estado	c) aspecto
19.	a) Ambos	b) Dos	c) Uno y otro
20.	a) vuelve	b) convierte	c) pone

SECCIÓN 2: Selección múltiple

Ejercicio 1

21. ▪ ¿Has reservado ya los billetes?
• Sí, he dejado **una señal** en la agencia de viajes.

    a) un recado
    b) una parte del dinero
    c) una nota

22. ▪ ¿Cuánto crees que puede costar un viaje a Barcelona?
• Yo creo que, **como mucho**, 100 euros.

    a) como mínimo
    b) como máximo
    c) aproximadamente

23. ▪ ¿Cuánto tiempo falta para llegar?
• Pues, **una hora y pico**, por lo menos.

    a) una hora y un poco más
    b) menos de una hora
    c) bastante más de una hora

24. ▪ ¿Crees que vendrán a buscarnos tus amigos a la estación?
• Ya los conoces, seguro que **nos dan plantón**.

    a) no se retrasan
    b) no vienen
    c) nos dan una sorpresa

25. ▪ ¿Por qué llegas tan tarde?
• Lo siento, es que el metro **estaba hasta los topes** y he tenido que esperar otro.

    a) estaba estropeado
    b) venía con retraso
    c) estaba lleno de gente

26. ▪ ¿Has visto cómo ha cambiado Jaime?
• Sí, desde que ha vuelto de su largo viaje, **está como un tren**.

    a) muy musculoso
    b) muy activo
    c) muy atractivo

27. ▪ Espero llegar a tiempo a recoger a nuestros amigos.
• No sé yo.... ¡Con **este embotellamiento**...!

    a) estas obras
    b) este atasco
    c) este control policial

28. ▪ ¡Mira, ese es el coche de María...!
• Es verdad, ¡ahora mismo **lo adelanto**!

    a) me acerco a él
    b) lo paso
    c) dejo que me pase

Preparación Diploma de Español (Nivel Intermedio)

29. ▪ ¿Sabes ya los horarios de autobuses para Salamanca?
   • No, ahora mismo **echo un vistazo** en Internet.

   a) miro por encima
   b) miro con detenimiento
   c) saco la información

30. ▪ ¿Tienes preparada toda la documentación para tu viaje?
   • No te preocupes, tengo ya todo **en regla**.

   a) arreglándose
   b) arreglado
   c) en trámites

Ejercicio 2

31. ▪ ¿Dónde _____ el concierto?
   • En el Palacio de los Deportes.

   a) es
   b) está

32. ▪ ¿Vas a hacer este año un viaje organizado?
   • No, ya _____ hartos de ir como borregos, y hemos preferido ir por nuestra cuenta.

   a) éramos
   b) estábamos

33. ▪ He reservado mesa a las diez para once personas.
   • Pero sabes que al final solo _____ diez.

   a) somos
   b) estamos

34. ▪ ¿A cuánto _____ los abanicos en ese puesto?
   • A tres euros.

   a) están
   b) son

35. ▪ Hace mucho que no sé nada de Luis.
   • Yo lo vi ayer cuando _____ corriendo por el parque, pero claro, no pude pararme.

   a) fui
   b) iba

36. ▪ Ayer _____ en la presentación de las novelas del Premio Nadal.
   • ¿Y qué tal?

   a) estuve
   b) fui

37. ▪ ¿A cuánto tocamos _____ cabeza?
   • A diez euros, así podremos hacer una buena barbacoa.

   a) para
   b) por

38. ▪ ¿Te queda mucho?
   • Sí, todavía voy _____ la página 20 y son 30.

   a) para
   b) por

39. • ¿Tienes alguna entrada de más?
  • No, no me queda _____.

    a) alguna
    b) ninguna

40. • ¿Cuál quieres, este o este?
  • _____.

    a) Cualquier
    b) Cualquiera

41. • ¿Cómo le va a Ana?
  • Bien, ahora le ha dado _____ la fotografía.

    a) por
    b) de
    c) para
    d) a

42. • ¿Lo vas a hacer? ¿Estás seguro?
  • Sí, sí, _____ surjan problemas.

    a) a no ser que
    b) como
    c) con tal de que
    d) salvo si

43. • ¿Has contado _____ David para la fiesta?
  • Sí, claro.

    a) a
    b) con
    c) de
    d) por

44. • ¿Lo vas a hacer _____ consultárselo?
  • Bueno, lo hemos comentado por encima.

    a) con
    b) sin
    c) de
    d) por

45. • ¿Me dejas la novela?
  • Sí, ya _____ he dejado encima de la mesa.

    a) me la
    b) te la
    c) se la
    d) te le

46. • Necesito unas vacaciones. Estoy agotado.
  • Si _____ unos días a la playa, regresarías como nuevo.

    a) iríamos
    b) vayamos
    c) fuéramos
    d) iremos

Preparación Diploma de Español (Nivel Intermedio)

47. ▪ ¿Vas a reservar habitación en ese hotel?
    • Sí, a no ser que _____ muy alejado del centro de la ciudad.

    a) estaría
    b) esté
    c) haya estado
    d) estará

48. ▪ ¿Estás disgustado?
    • No, no es que _____ disgustado. Solo estoy un poco cansado.

    a) esté
    b) estoy
    c) estaré
    d) haya estado

49. ▪ ¿Tienes noticias de Antonio y Laura?
    • No, la verdad es que hace mucho que no sé nada _____ ellos.

    a) desde
    b) por
    c) de
    d) en

50. ▪ ¿Fuisteis por fin al teatro ayer?
    • Sí, pero _____ llegamos tarde, no pudimos entrar.

    a) como
    b) porque
    c) pues
    d) de manera que

51. ▪ ¡Qué raro! Tu hermano no coge el teléfono.
    • _____ todavía esté durmiendo. Los sábados se levanta tarde.

    a) Igual
    b) Puede que
    c) A lo mejor
    d) Seguro que

52. ▪ No te olvides de nada, por favor.
    • Tranquilo, no te preocupes. Apunté todo _____ me dijiste.

    a) el que
    b) el cual
    c) que
    d) lo que

53. ▪ No te rías _____ la niña. No sabe hacerlo porque es muy pequeña.
    • Vale, vale. Lo siento.

    a) por
    b) con
    c) a
    d) de

54. • ¿Le has dicho que traiga los discos para la fiesta?

• Sí, _____ he dicho veinte veces. Ya sabes que es muy despistado.

    a) se le

    b) se lo

    c) se los

    d) se les

55. • Estoy llamando al despacho de Pedro, pero no coge el teléfono.

• Es que está _____ vacaciones. ¿No lo sabías?

    a) a

    b) para

    c) de

    d) con

56. • Los vecinos no paran en casa en todo el día.

• Sí, es normal que _____ tanto. Son jóvenes y quieren pasarlo bien.

    a) salen

    b) han salido

    c) salieran

    d) salgan

57. • Carla me prometió que _____ con nosotras, pero no ha aparecido.

• Bueno, vamos a esperar un poco más.

    a) vendría

    b) venga

    c) habría venido

    d) viniera

58. • La película es malísima, un rollo. Y el protagonista trabaja fatal.

• ¿No crees que _____ exagerando un poco?

    a) estés

    b) estás

    c) has estado

    d) estarás

59. • ¡Pepe sale de marcha todos los días!

• _____ siga así, va a acabar mal.

    a) Porque

    b) Si

    c) Como

    d) Cuando

60. • ¿Vas a salir en el puente de mayo?

• No creo, porque no encuentro a nadie que _____ a mi perro.

    a) cuidará

    b) cuidara

    c) cuida

    d) cuide

Anota el tiempo que has tardado:

Recuerda que solo dispones de 60 minutos

PRUEBA 5  Expresión Oral

 **10-15** min **Tiempo disponible** de preparación

 **10-15** min **Tiempo disponible** de conversación para toda esta prueba

Descripción de láminas

Elija una de estas historietas, descríbala y cuente lo que sucede.

HISTORIETA 1

Póngase en el lugar del hombre enfadado:

¿Qué les diría a los vecinos?: "_____"

HISTORIETA 2

Póngase en el lugar del chico:

¿Qué le diría a la chica?: "_____"

Temas para la exposición oral

Prepare un tema durante 10-15 minutos. Después preséntelo oralmente. Aquí tiene unas sugerencias: puede hablar de todos los puntos o elegir el / los que considere más interesante/-s.

TEMA 1:

TIEMPO LIBRE

- ¿Tiene mucho tiempo libre? ¿Qué haría si tuviera más tiempo libre?
- ¿Cuáles son sus aficiones: salir con amigos, deporte, lectura, cine, música, chatear...?

- Si le gusta leer:
  - ¿Cree que desaparecerán los libros tal y como los conocemos ahora?
  - ¿Dónde y cuándo lee? ¿Qué tipo de libros?
  - Hable sobre el libro que está leyendo ahora, el último que haya leído o uno que le haya gustado o impresionado.

- Si le gusta la música:
  - ¿Qué tipo de música prefiere?

- Si le gusta el arte:
  - ¿Qué tipo de museos o exposiciones le gusta visitar en su ciudad o cuando viaja?
  - ¿Qué tipo de arte le atrae más: escultura, arquitectura, pintura?
  - Hable de uno de sus artistas favoritos.
  - Un genio, ¿nace o se hace?

- Si le gusta el deporte:
  - ¿Prefiere verlo o practicarlo?
  - ¿Cuáles?

TEMA 2:

VIAJES, GUSTOS Y PREFERENCIAS

- ¿Cómo y con quién prefiere viajar? ¿Qué tipo de alojamiento prefiere?
- ¿En qué medio de transporte suele viajar? ¿Qué opina de los vuelos baratos?
- ¿Qué tipo de destino suele elegir: playa, montaña, ciudades monumentales...?
- ¿Le gustan los viajes organizados o prefiere viajar por cuenta propia?
- ¿En qué época del año suele viajar?
- Consejos para un buen viaje.

TRABAJO Y ESTUDIOS

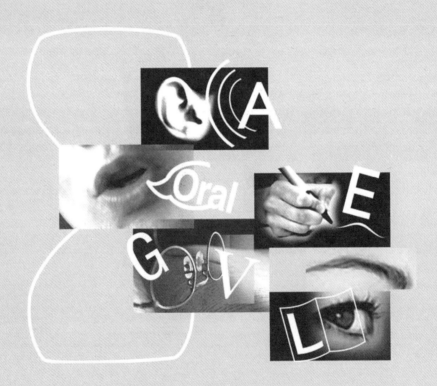

USO interactivo del vocabulario
• Más de 2000 palabras básicas del español con variantes mexicanas y argentinas.
• Ejercicios prácticos.

Recomendamos este libro para ampliar el vocabulario del español de España y variantes de México y Argentina.

Págs.: 74-81, 152-160

VOCABULARIO

FICHA DE AYUDA
para la Expresión Escrita
y la Expresión Oral

SISTEMA EDUCATIVO

Educación Infantil (la) ....
Educación Primaria (la) ....
Educación Secundaria (la)...........................
Educación Superior (la) ....
Bachillerato (el) ....
Colegio (el) ....
Instituto (el) ....
Facultad / Universidad (la)...........................
Letras / Ciencias (las) ....
Graduado Escolar (el) ....
Estudios (los) ....
Estudios de postgrado (los)...........................
Formación (la) ....
Carrera (la) ....
Diplomatura (la) ....
Licenciatura (la) ....
Doctorado (el) ....
Oposición (la) ....
Enseñanza (la) ....
Beca (la) ....
Créditos (los) ....
Asignaturas (las) ....
Formación Profesional (la)...........................
Universitario (el) ....
Diplomado (el) ....
Licenciado (el) ....
Doctor (el) ....

EXPRESIONES DEL MUNDO DE LOS ESTUDIOS

Empollar ....
Hincar los codos ....
Memorizar ....
Tener una chuleta ....
Quedarse en blanco ....
Saltarse una clase ....
Hacer pellas ....
Ser un/-a pelota ....

EXPRESIONES DEL MUNDO LABORAL

Currar ....
Curro (el) ....
Trabajar como un burro ....
Trabajar a destajo ....
Cobrar en negro ....
Trabajar codo con codo ....
Arrimar el hombro ....
Hacer chapuzas ....

EXÁMENES

Exámenes parciales / finales (los) ....
Prueba (la) ....
Certificado (el) ....
Título (el) ....
Convocatoria de examen (la) ....
Aprobar (por los pelos) ....
Suspender ....
Sacar buena nota ....
Sacar mala nota ....
Suspenso (el) ....
Aprobado (el) ....
Notable (el) ....
Sobresaliente (el) ....
Matrícula de Honor (la) ....

TRABAJO

Jornada laboral (la) ....
Contrato de trabajo (el) ....
Puesto / Cargo (el) ....
Autónomo (el) ....
Funcionario (el) ....
Auxiliar (el) ....
Salario / Sueldo (el) ....
Hacer horas extra ....
Cobrar ....
Absentismo (el) ....
Aumento (el) ....
Año sabático (el) ....
Negociación (la) ....
Llegar a final de mes ....
Profesionalidad (la) ....
Compañerismo (el) ....
Ascenso (el) ....
Competitividad (la) ....
Pedir permiso ....
Precariedad laboral (la) ....

CONTRATACIÓN

Pruebas de selección (las) ....
Personal (el) ....
Candidato (el) ....
Entrevista de trabajo (la) ....
Requisitos (los) ....
Recursos humanos (los) ....
Despedir / Echar a alguien ....
Desempleo / Paro (el) ....
Estar en paro / parado ....
Reestructuración de plantilla (la) ....

PRUEBA 1  Comprensión Lectora

60 min Tiempo disponible para los cuatro textos

TEXTO 1
CÓMO PEDIR UN AUMENTO DE SUELDO

Se acerca el mes de diciembre y, con él, la época en que muchas personas reciben una evaluación anual sobre su trabajo: qué objetivos se han conseguido y cuáles no, mejoras logradas... Es en esta época cuando muchos trabajadores negocian su aumento de sueldo para el año siguiente, momento esperado y también clave para el futuro laboral. En él se expondrán los objetivos de dos partes, trabajador y empresa, que no siempre estarán alineados. Son muchas las personas que contemplan este momento con tensión, ya que se preguntan cómo es posible plantear este tema de la forma más profesional, legítima y ordenada posible.

Uno de los aspectos más importantes es identificar el momento más apropiado para solicitar el aumento. Hay que tener en cuenta la presencia de dos ciclos independientes en su determinación: el ciclo económico de la empresa –época de realización de presupuestos anuales– y el ciclo profesional del trabajador –momento en que la evolución profesional de este justifica un aumento de sus retribuciones–. Es esencial negociar el sueldo en esta coyuntura profesional del trabajador, pues los argumentos expuestos por este serán reconocidos por la empresa.

La reunión debe tener lugar sin premuras de tiempo y en un ambiente distendido. Hay que evitar a toda costa abordar el tema en la máquina del café o en el pasillo. Es conveniente avisar a la persona implicada del tema objeto de la reunión, con el fin de que el superior tenga tiempo de preparar sus argumentos y conseguir un diálogo más fructífero. El trabajador, sobre todo si se pone nervioso en estas situaciones, debería llevar los temas bien anotados en una lista y hacer uso de ella sin rubor.

Otro punto crucial es cuánto pedir. En primer lugar, es importante conocer la política salarial de la empresa en cada una de sus categorías, con el fin de solicitar una cantidad razonable. No es adecuado esgrimir argumentos relacionados con la vida personal, ya que las empresas se rigen por criterios de mercado, basados en el rendimiento, no en la situación personal. Nunca debe acudirse a la comparación con compañeros de trabajo, ya que no somos nosotros a quienes corresponde determinar la adecuación o inadecuación en la cuantía de lo que cobra el otro.

Adaptado de *El País Semanal*, 27-11-2005

PREGUNTAS

1. Según el texto, los ciclos del trabajador y de la empresa deben coincidir en el momento de la negociación.

a) Verdadero.
b) Falso.

2. En el texto se afirma que el trabajador debe entregar una lista con sus peticiones al superior.

a) Verdadero.
b) Falso.

3. El texto afirma que la justificación del aumento no debe basarse en las circunstancias de la vida del trabajador.

a) Verdadero.
b) Falso.

TEXTO 2
LA MAYORÍA NO RENDIMOS EN EL TRABAJO

Según datos de la consultora Otto Walter, más de la tercera parte de los encuestados dice no superar el 80% de su rendimiento y solo una cuarta parte pertenece a esa categoría que lo da casi todo y sitúa su rendimiento entre el 90% y el 100%.

Tanto hombres como mujeres coinciden al señalar las cuatro principales causas de no rendir en el trabajo: el exceso de tareas y urgencias, la falta de comunicación, la presión por el resultado a corto plazo y la falta de medios informáticos. Para las mujeres también es una limitación el "temor a fallar", un aspecto no relevante para los hombres.

Si hay una sobrecarga de tareas y encima son para antes de ayer, no es posible hacer las cosas bien, según opina la mayoría de los encuestados. Eso solo consigue que luego haya que corregir una colección de errores y defectos que se transforman en nuevas tareas y urgencias inesperadas. Pero echar la culpa al jefe es fácil, aunque el empleado también tiene su parte de responsabilidad.

Por edades, los mayores de cincuenta años se quejan porque valoran más la presencia que la eficacia, y ese es uno de los factores que les impiden rendir en el trabajo. Justo lo contrario que a los que están entre treinta y treinta y nueve años, a los que se les pide la máxima productividad en el menor tiempo posible.

Las mujeres están más equiparadas a los hombres en los cargos medios y directivos de las áreas de Recursos Humanos, Marketing, Calidad y Atención al Cliente. Los hombres ocupan los puestos de primer nivel, ya que a las mujeres no les interesa asumir una responsabilidad de este tipo porque les impediría conciliar la vida personal y laboral. Los obstáculos para que las mujeres sean ascendidas son reales. Un jefe de departamento observó que las tres personas más competentes a su cargo eran mujeres con jornada reducida por maternidad, por lo que pidió a su director de Recursos Humanos que las ascendieran, y la respuesta que obtuvo fue "no".

Adaptado de *Qué!*, 18-11-2005

PREGUNTAS

4. Según el texto:

   a) Una gran parte de las personas consultadas confiesa su ineficacia en el trabajo.

   b) El jefe les pone límites a los trabajadores.

   c) La culpa de la falta de rendimiento es del jefe.

5. En el texto se dice que:

   a) Los mayores de cincuenta años son valorados por su capacidad en el trabajo.

   b) Al personal entre treinta y treinta y nueve años se le exige más rendimiento.

   c) El rendimiento en el trabajo depende de la edad.

6. Según el texto:

   a) En algunos departamentos las mujeres están igualadas a los hombres en los puestos medios y altos.

   b) A las mujeres les gustaría compatibilizar el puesto de directivo con la vida familiar.

   c) Las mujeres están alcanzando los altos cargos.

TEXTO 3

¿CON QUIÉN DEJAMOS A NUESTROS HIJOS?

Tener una niñera (hoy "cuidadora") ha dejado de ser un privilegio de economías desahogadas para convertirse en una acuciante necesidad para muchas parejas trabajadoras. Dar con la apropiada –en España hay 450.000 empleadas domésticas, que cobran entre 600 y 900 euros al mes– es complicado. La canguro ya no es un parche gracias al cual los cónyuges pueden salir juntos una noche a la semana; es una pieza insustituible que les permite, sencillamente, ganarse el pan y con ello, pagar la hipoteca, la gasolina y hasta a la propia niñera. Anualmente nacen casi 250.000 niños de mujeres españolas. A los cuatro meses, cuando la mayoría tiene que reincorporarse a su puesto, después del permiso de maternidad, todas estas madres y sus parejas se plantean la gran pregunta: "¿Qué hacemos con él?". Según datos de Más Vida Red, firma que ofrece soluciones a las empresas para la conciliación de la vida laboral y familiar de los trabajadores, unos 15.000 pequeños seguirán gozando de la compañía de sus madres, que pedirán una excedencia; 20.000 irán a una guardería; el resto, unos 200.000, quedarán encomendados a una tercera persona.

A veces, la cercanía de los abuelos, tíos, etcétera, hace posible que todo quede en casa, mejor dicho, en familia, pero, otras muchas, esta opción no existe y es muy difícil seleccionar a una persona. ¿Cómo acertar? Lo primero es tener claras las funciones de la niñera y qué actividades queremos que comparta con el niño. Hay que confiar en alguien que debe asumir una tarea muy importante: estimularlo. No basta con que lo lave y le cambie los pañales, sino que debe mantener una estrecha relación con él y debe procurar desarrollar actividades que fomenten su inteligencia. También debe tratar de inculcarle rudimentos éticos, como la diferencia entre el bien y el mal. No cabe duda, pues, de que la labor de la niñera no es baladí: durante las horas que permanezca con él, será su principal referente.

Adaptado de *Magazine elmundo.es*, 1-05-2005

PREGUNTAS

7. Según el texto, tener una niñera:

a) Permite a las parejas salir una noche a la semana.

b) Es un lujo que solo pueden pagar familias con dinero.

c) Es indispensable para que muchos padres puedan trabajar.

8. En el texto se dice que, cuando tienen un hijo:

a) Muchas mujeres piden un permiso sin sueldo para cuidarlo.

b) La mayoría de las mujeres llevan a su hijo a un centro especializado.

c) En ocasiones, las mujeres hacen que el niño se quede en casa.

9. En el texto se afirma que:

a) La principal tarea de la niñera es mantener al niño bien limpio.

b) La niñera debe tener sólidos valores éticos.

c) La niñera tiene que tratar de desarrollar el entendimiento del niño.

TEXTO 4

LA ESCUELA MONTESSORI

El consuelo fue que en Cataca habían abierto por esos años la escuela montessoriana, cuyas maestras estimulaban los cinco sentidos mediante ejercicios prácticos y enseñaban a cantar. Con el talento y la belleza de la directora Rosa Elena Fergusson estudiar era algo tan maravilloso como jugar a estar vivos. Aprendí a apreciar el olfato, cuyo poder de evocaciones nostálgicas es arrasador. El paladar, que afiné hasta el punto de que he probado bebidas que saben a ventana, panes viejos que saben a baúl, infusiones que saben a misa. En teoría es difícil entender estos placeres subjetivos, pero quienes los hayan vivido los comprenderán de inmediato.

No creo que haya método mejor que el montessoriano para sensibilizar a los niños en las bellezas del mundo y para despertarles la curiosidad por los secretos de la vida. Se le ha reprochado que fomenta el sentido de independencia y el individualismo –y tal vez en mi caso fuera cierto–. En cambio, nunca aprendí a dividir o a sacar raíz cuadrada ni a manejar ideas abstractas. Éramos tan jóvenes que solo recuerdo a dos condiscípulos. Una era Juanita Mendoza, que murió de tifo a los siete años, poco después de inaugurada la escuela, y me impresionó tanto que nunca he podido olvidarla con corona y velos de novia en el ataúd. El otro es Guillermo Valencia Abdala, mi amigo desde el primer recreo, y mi médico infalible para las resacas de los lunes. (...)

Me costó mucho aprender a leer. No me parecía lógico que la letra *m* se llamara *eme*, y sin embargo, con la vocal siguiente no se dijera *emea* sino *ma*. Me era imposible leer así. Por fin, cuando llegué al Montessori, la maestra no me enseñó los nombres sino los sonidos de las consonantes. Así pude leer el primer libro que encontré en un rincón polvoriento del depósito de la casa. Estaba descosido e incompleto, pero me absorbió de un modo tan intenso que el novio de Sara soltó al pasar una premonición aterradora: "¡Carajo!, este niño va a ser escritor".

Adaptado de *Vivir para contarla*, Gabriel García Márquez, Ed. Mondadori, Barcelona, 2002

PREGUNTAS

10. El autor afirma en este texto que en la escuela Montessori:

a) Las maestras cantaban para estimular los sentidos.

b) El estudio se realizaba mediante juegos.

c) Él desarrolló el sentido del gusto.

11. En el texto se afirma que el método montessoriano:

a) Hacía que los niños tuvieran más ganas de conocer el mundo.

b) Era valorado porque desarrollaba el sentido de la independencia.

c) Daba importancia a las operaciones matemáticas.

12. El autor del texto dice que:

a) Aprender a leer le resultó difícil por problemas fonéticos.

b) El primer libro que leyó lo encontró en una esquina de la clase.

c) Cuando terminó el primer libro ya sabía que iba a ser escritor.

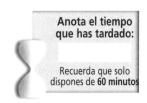

Anota el tiempo que has tardado:

Recuerda que solo dispones de **60 minutos**

PRUEBA 2  Expresión Escrita

PARTE N° 1. Carta personal

60 min **Tiempo disponible** para escribir los dos textos, primero en borrador y luego en la hoja de respuesta a limpio

OPCIÓN 1

Usted acaba de recibir una carta de un buen amigo suyo en la que le dice que, por numerosas razones, quiere dejar su trabajo. Usted cree que es una decisión un poco precipitada fruto del cansancio y de la inexperiencia. Escriba una carta a su amigo en la que deberá:

■ Darle consejos para que reconsidere su decisión.
■ Recordar alguna experiencia que vivieron juntos.
■ Darle ánimos.
■ Mostrar su preocupación por la carta.

OPCIÓN 2

Usted ha decidido hacer un curso de español en una universidad española. Escriba una carta a la secretaría del centro en la que deberá:

■ Presentarse.
■ Pedir información sobre los cursos: horarios, precios, becas, fechas, alojamiento...
■ Pedir que le remitan la documentación.
■ Agradecer la información.

PARTE N° 2. Redacción

OPCIÓN 1

Todos tenemos algún recuerdo del colegio. Escriba una redacción en la que:

■ Describa el edificio y el lugar.
■ Describa a alguno de los profesores y compañeros.
■ Describa actividades que solían hacer en aquella etapa.
■ Cuente alguna anécdota divertida.

OPCIÓN 2

"La educación es un derecho fundamental y debe ser gratuita para todos y en todos los niveles de enseñanza, incluida la universidad". Elabore un escrito en el que:

■ Dé argumentos a favor o en contra.
■ Exprese su opinión.
■ Proponga ejemplos que lo justifiquen.
■ Escriba una breve conclusión.

Sugerencias para las cartas

Recuerde que debe incluir la fecha, el lugar, el destinatario, el remitente, el encabezamiento formal y, al final, la línea de despedida. En el cuerpo de la carta puede ayudarse de los siguientes modelos:

OPCIÓN 1

Puede elegir la fórmula más adecuada según el tono y el grado de amistad que le quiera dar a la carta.

EXPRESAR PREOCUPACIÓN

☐ Me he quedado muy preocupado después de leer tu carta…

☐ Tu carta me ha dejado muy preocupado…

☐ Estoy preocupado por ti después de leer tu carta…

DAR ÁNIMOS

☐ Ten paciencia y ya verás cómo…

☐ Seguro que encuentras un trabajo mejor, ya lo verás…

☐ No te preocupes, ya verás como todo sale bien / todo se arregla.

☐ No te desanimes, seguro que la decisión que tomes será buena…

DAR CONSEJOS

☐ ¿Estás seguro de / has pensado bien lo que vas a hacer?

☐ Piénsatelo bien…

☐ Tienes que / Deberías pensártelo mejor…

☐ Yo que tú / Yo en tu lugar me lo pensaría…

☐ Yo te recomiendo que te tomes un tiempo para tomar una decisión.

☐ Quizá te confundes / te confundas / te estás confundiendo.

☐ Puede que tu decisión sea (un poco) precipitada…

OPCIÓN 2

PRESENTARSE

☐ Soy un/a estudiante de español y…

☐ Me llamo .... y…

EXPRESAR INTERÉS

☐ Estoy interesado/a en hacer un curso de…

☐ Tengo mucho interés en estudiar en…

AGRADECERLES LA INFORMACIÓN

☐ Dándoles las gracias por anticipado…

☐ Muchas gracias por su atención…

☐ Les agradezco su información…

☐ Agradeciéndoles de antemano…

DESPEDIDA

☐ Se despide atentamente,

☐ Atentamente,

☐ Reciban un cordial saludo,

☐ Un saludo,

PEDIR INFORMACIÓN

☐ Me gustaría que me proporcionaran información sobre…

☐ Quería que me informaran sobre…

☐ ¿Podrían enviarme información sobre los cursos que ofrece su universidad?

PEDIR MÁS INFORMACIÓN

☐ Asimismo, quisiera que me informaran sobre…

☐ Si no es molestia, quisiera, también, información sobre…

☐ ¿Podría darme detalles sobre horarios, precios, forma de alojamiento…?

PEDIR QUE LE REMITAN LA INFORMACIÓN

☐ Les agradecería que me enviaran toda la información…

☐ Me gustaría disponer de toda la información…

☐ Si no les molesta, ¿podrían mandarme toda la información por fax / por correo electrónico / por correo…?

Anota el tiempo que has tardado:

Recuerda que solo dispones de **60 minutos**

PRUEBA 3  Comprensión Auditiva

CD Audio
Pista 9

TEXTO 1

HACERSE EMPRESARIO PARA SER MÁS INDEPENDIENTE

PREGUNTAS

1. Los españoles son los europeos que más trabajan por su cuenta.

a) Verdadero.
b) Falso.

2. Es más seguro trabajar como autónomo.

a) Verdadero.
b) Falso.

3. En España es más necesario crear empresas que en otros países.

a) Verdadero.
b) Falso.

CD Audio
Pista 10

TEXTO 2

CONECTADOS A TODAS HORAS

PREGUNTAS

4. Según la audición, la mayoría de los padres de adolescentes argentinos:

a) No sabe qué hacen sus hijos en el dormitorio.
b) Afirma que sus hijos usan la computadora para chatear.
c) Cree que sus hijos usan Internet para realizar las tareas escolares.

5. En la grabación se aconseja a los padres que:

a) Formen parte de la Generación Internet.
b) Estén al tanto de las habilidades de sus hijos.
c) Estudien para saber usar Internet.

6. Según los chicos argentinos, el medio de comunicación más cómodo es:

a) El *chat*.
b) El *messenger*.
c) El SMS.

CD Audio

Pista 11

TEXTO 3

III CONCURSO DE ENSAYO DE ARTE "MAESTRO MATEO"

PREGUNTAS

7. Según la audición, en el concurso:

a) No podrán participar más de cuatro alumnos por cada centro docente.

b) Se presentarán los trabajos en soporte informático.

c) Los trabajos se presentarán escritos por un solo lado de cada página.

8. En la grabación se dice que:

a) Se enviarán tres copias firmadas al centro de enseñanza indicado.

b) En las copias se indicará el centro docente del autor.

c) Los trabajos deberán ser evaluados por los profesores orientadores.

9. Según la audición:

a) En mayo se conocerá a los ganadores del concurso.

b) Habrá un primer premio y un segundo premio.

c) El premio del concurso será la publicación del trabajo en el Boletín del CDL (Colegio de Doctores y Licenciados).

CD Audio

Pista 12

TEXTO 4

ESTATUS Y SALUD

PREGUNTAS

10. En la audición se dice que:

a) Al periodista no le sorprenden los resultados de la investigación.

b) La investigación se ha llevado a cabo con gente de diferentes clases sociales.

c) El investigador esperaba esos resultados.

11. En la audición se dice que, según la sabiduría popular, tiene más riesgo de enfermedades:

a) La gente que trabaja en la Administración.

b) La gente con grandes responsabilidades.

c) La gente sin demasiados recursos económicos.

12. Según la audición, los resultados de la investigación:

a) Confirman las teorías de las investigaciones.

b) Rechazan las afirmaciones de los investigadores.

c) Rechazan la sabiduría popular.

> **Anota el tiempo que has tardado:**
>
> Recuerda que solo dispones de **30 minutos**

Preparación Diploma de Español (Nivel Intermedio)

PRUEBA 4  Gramática y Vocabulario

60 **Tiempo disponible**
min para hacer todos
los ejercicios de
la sección 1 y 2

SECCIÓN 1: Texto incompleto

OBJETIVO: SER FUNCIONARIO

¿Es posible lograr un puesto de trabajo para toda la vida? La respuesta a la pregunta está en las administraciones públicas, que ____1____ a quienes saquen una oposición un sueldo inicial ____2____ 2.500 euros.

Preparadores individuales, academias y gran esfuerzo personal ____3____ los recursos que suele ____4____ el opositor a funcionario, aunque, ____5____ descontado, no hay una receta que garantice el éxito.

Lo primero de todo es conseguir el temario básico. Éste ____6____ proporcionan las academias. Antes de elegir un centro, ____7____ que informarse de las convocatorias que ha preparado y del método que emplea. La academia asesorará al opositor ____8____ la oposición ____9____ más se ajusta a su formación y a sus ____10____ personales.

Existen algunas claves para triunfar en esta empresa, relativas ____11____ tiempo y método de estudio seguidos para ____12____ los mejores resultados. Respecto ____13____ tiempo, dependerá del grupo para el que nos preparemos: puede ir desde las ocho horas para el grupo A (licenciados) hasta las dos horas para el grupo D (formación elemental). En cuanto al método, se recomienda estudiar siempre a la ____14____ hora y dedicando un tiempo similar. La oposición es para el constante: ____15____ objetivos diarios, semanales y mensuales. Una pequeña ____16____ de ansiedad puede servir de estímulo.

Si ____17____ al sueldo, hay que tener en cuenta la administración para la que queremos trabajar (General del Estado, Autonómica o Local –esta es la que mejor paga–) y la escala, ____18____ de las condiciones concretas del puesto y otros complementos, ____19____ como productividad, destino, grupo, etcétera. En el grupo A se cobra ____20____ a 2.500 euros netos mensuales, mientras que en el grupo D el sueldo aproximado es de 900 euros.

1.	**a)** ofrecen	**b)** ofrezcan	**c)** ofrecieran
2.	**a)** de entre	**b)** de hacia	**c)** de hasta
3.	**a)** están	**b)** tienen	**c)** son
4.	**a)** mezclar	**b)** combinar	**c)** juntar
5.	**a)** por	**b)** para	**c)** del
6.	**a)** le	**b)** lo	**c)** los
7.	**a)** debe	**b)** hay	**c)** ha
8.	**a)** sobre	**b)** entre	**c)** con
9.	**a)** la que	**b)** que	**c)** la cual
10.	**a)** motivos	**b)** intereses	**c)** decisiones
11.	**a)** del	**b)** al	**c)** en el
12.	**a)** coger	**b)** captar	**c)** obtener
13.	**a)** del	**b)** al	**c)** en el
14.	**a)** igual	**b)** similar	**c)** misma
15.	**a)** señalízate	**b)** márcate	**c)** puntúate
16.	**a)** composición	**b)** dosis	**c)** dote
17.	**a)** atenderemos	**b)** atendamos	**c)** atendemos
18.	**a)** también	**b)** igualmente	**c)** además
19.	**a)** tales	**b)** tantos	**c)** tan
20.	**a)** alrededor	**b)** en torno	**c)** sobre

SECCIÓN 2: Selección múltiple

Ejercicio 1

21.
- ¡Te noto nervioso!
- Sí, es que solo **faltan cuatro días** para las vacaciones de Navidad.

    a) quedan cuatro días de vacaciones
    b) dentro de cuatro días terminan las vacaciones
    c) dentro de cuatro días empiezan las vacaciones

22.
- Necesito hablar con el jefe.
- Pues **no está para fiestas** hoy, así que espera hasta mañana.

    a) no quiere asistir a fiestas
    b) está de mal humor
    c) está muy ocupado

23.
- ¿No podemos terminar esto la próxima semana?
- No. El proyecto tiene que estar **sin falta** para el 20 de octubre.

    a) obligatoriamente
    b) sin errores
    c) sin que falte nada

24.
- ¿Conoces al nuevo director?
- Sí, y me parece un hombre muy **seco**.

    a) serio
    b) antipático
    c) aburrido

25.
- ¿Qué tal la conferencia?
- **Un rollo**.

    a) Larga
    b) Aburrida
    c) Entretenida

26.
- ¿Qué tal te ha ido la entrevista? Cuéntamelo todo **con pelos y señales**.
- No lo sé muy bien.

    a) lentamente
    b) detalladamente
    c) extensamente

27.
- ¿Ha decidido ya Ana lo que quiere estudiar?
- La verdad es que **está hecha un lío**.

    a) está confusa
    b) está decidida
    c) se ha matriculado ya

28.
- Como no te des prisa, vas a llegar tarde a clase.
- **Me trae sin cuidado**.

    a) Puedo llegar un poco tarde
    b) Me da rabia
    c) Me da igual

Preparación Diploma de Español (Nivel Intermedio)

29.   ▪ ¿Qué tal la entrevista de trabajo?
      • Creo que **he metido la pata** un par de veces.

     a) les he sorprendido
     b) me he equivocado
     c) se me ha notado nervioso

30.   ▪ ¡Se acercan los exámenes!
      • Pues ya sabemos..., **¡a hincar los codos!**

     a) hay que poner un calendario de estudio
     b) hay que estudiar
     c) hay que ponerse en marcha

Ejercicio 2

31.   ▪ ¿Dónde _____ la clase de Lengua ayer?
      • En el aula 25.

     a) estuvo
     b) fue

32.   ▪ ¿Dónde _____ el aula 25?
      • En la segunda planta.

     a) es
     b) está

33.   ▪ ¿A qué día _____?
      • A 10 de enero.

     a) es
     b) estamos

34.   ▪ ¿Qué te pasa?
      • Que _____ muerta, no he parado de estudiar en todo el día.

     a) soy
     b) estoy

35.   ▪ ¿Por qué no fuiste ayer a casa de Luis?
      • Porque _____ estudiando en casa, tengo examen el viernes.

     a) me quedé
     b) me quedaba

36.   ▪ ¿Cómo perdiste las llaves?
      • Mientras _____ por las escaleras.

     a) bajé
     b) bajaba

37.   ▪ ¿Por qué estás tan enfadado?
      • Porque no me gusta que me tomen _____ tonto.

     a) por
     b) para

38.   ▪ ¿Por qué no han venido el fin de semana?
      • _____ la lluvia.

     a) Por
     b) Para

39.
- ¿Qué postre te pongo? ¿Este o el que está en la bandeja?
- Me da igual, _____.

  a) cualquier
  b) cualquiera

40.
- ¿Has empezado a estudiar ya?
- ¡Qué va! No he estudiado _____ todavía.

  a) algo
  b) nada

41.
- Laura falta mucho a clase.
- Por mí, como si no _____.

  a) aprobara
  b) apruebe
  c) aprueba
  d) hubiera aprobado

42.
- ¿Qué pasa con Ana? Todavía no _____ ha contado. Me tiene en ascuas.
- Pues está relacionado con la oposición.

  a) te lo
  b) se lo
  c) me la
  d) me lo

43.
- _____ vas a la biblioteca, ¿puedes llevar estos libros?
- ¡Qué morro!

  a) Cuando
  b) Porque
  c) Ya que
  d) Dado

44.
- ¿Qué le dijiste a la profesora?
- Le dije que estaba empezando a _____ las películas en español.

  a) comprendiendo
  b) comprende
  c) comprendido
  d) comprender

45.
- Les daré el dinero _____ vengan; si no, no hay dinero que valga.
- ¡Qué duro te estás poniendo con tus nietos! A esa edad prefieren estar con los amigos.

  a) si
  b) siempre que
  c) salvo si
  d) a no ser que

46.
- No sé si comentarle lo de mi ascenso.
- Yo que tú, _____ pasar unos días.

  a) dejaré
  b) dejara
  c) dejaría
  d) deje

47.   ▪ ¿Por qué te negaste _____ hablar con él?
    • Porque no quería darle esa información.

     a) de
     b) en
     c) para
     d) a

48.   ▪ ¿Por qué has llegado tan tarde a la reunión con el jefe?
    • Lo siento, es que he venido _____ la autopista y había atasco.

     a) en
     b) por
     c) hacia
     d) desde

49.   ▪ No me parece que esa _____ la mejor solución para el futuro de la empresa.
    • Ya, pero no tenemos otra alternativa.

     a) será
     b) sea
     c) es
     d) sería

50.   ▪ ¿Vais a quedaros a trabajar?
    • Sí, _____ paguen las horas extra.

     a) por si
     b) como
     c) excepto si
     d) siempre que

51.   ▪ No digas que no lo _____. Te lo conté todo.
    • Sí, pero pensaba que no hablabas en serio.

     a) sabrías
     b) sabías
     c) supieras
     d) sepas

52.   ▪ ¿Tienes el libro?
    • Sí, lo compré justo antes de que _____ la tienda.

     a) había cerrado
     b) haya cerrado
     c) cerraba
     d) cerrara

53.   ▪ Esos son los alumnos _____ sacaron sobresaliente.
    • ¿Sí? Pues el examen era muy difícil.

     a) que
     b) los que
     c) quienes
     d) los cuales

54.   ▪ ¿Por qué llora tanto el niño?

   • Es que _____ han roto los patines, y ha cogido una rabieta.

   a) se lo
   b) se los
   c) se les
   d) se le

55.   ▪ ¿Cómo preparo el pavo?

   • Me da igual. Como _____.

   a) querrás
   b) quisieras
   c) quieras
   d) querrías

56.   ▪ He suspendido las oposiciones.

   • ¡Claro!, _____ no has estudiado nada. No sé de qué te sorprendes.

   a) ya que
   b) pues
   c) como
   d) porque

57.   ▪ Estoy buscando a Sara. ¿Sabes dónde está?

   • No, ni idea. Lo mismo _____ en la biblioteca, estudiando.

   a) esté
   b) estuviera
   c) está
   d) estaría

58.   ▪ Por fin he encontrado un traje para la boda de Antonio.

   • ¿Sí? Pues yo no he visto ninguno que me _____.

   a) ha gustado
   b) gusta
   c) gustaría
   d) guste

59.   ▪ ¿Qué te ha parecido la película?

   • Es mucho mejor de _____ me imaginaba.

   a) la que
   b) lo que
   c) la cual
   d) lo cual

60.   ▪ ¿Qué tal lo pasaste en el puente de Semana Santa?

   • Fenomenal. Volví nuevo, como si _____ quince años.

   a) rejuveneciera
   b) rejuvenezca
   c) haya rejuvenecido
   d) hubiera rejuvenecido

**Anota el tiempo
que has tardado:**

Recuerda que solo
dispones de **60 minutos**

Expresión Oral

10-15 min Tiempo disponible de preparación

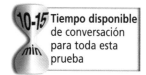

10-15 min Tiempo disponible de conversación para toda esta prueba

Descripción de láminas

Elija una de estas historietas, descríbala y cuente lo que sucede.

HISTORIETA 1

Póngase en el lugar de uno de los compañeros de clase:

¿Qué les diría a las dos chicas?: "_____"

HISTORIETA 2

Póngase en el lugar del conferenciante:

¿Qué le diría al público?: "_____"

Temas para la exposición oral

Prepare un tema durante 10-15 minutos. Después preséntelo oralmente. Aquí tiene unas sugerencias: puede hablar de todos los puntos o elegir el / los que considere más interesante/-s.

TEMA 1:

EL TRABAJO EN EL SIGLO XXI

- ¿Qué características tiene el trabajo ideal?
- ¿Qué profesiones o trabajos producen más estrés?
- ¿Hay trabajos mejores que otros?
- ¿Qué profesiones deberían estar mejor pagadas?
- ¿Tienen más facilidades de encontrar trabajo los universitarios que los no universitarios?
- ¿Qué profesiones tienen más futuro?
- ¿Los hombres y mujeres tienen la misma situación en el trabajo?
- ¿Qué facilidades o dificultades tienen los jóvenes para encontrar trabajo?
- El trabajo desde casa. Ventajas e inconvenientes (horario, flexibilidad, sueldo, relaciones sociales y personales, etc.).
- Las nuevas tecnologías:
  - ¿Afectarán a algunos trabajos y profesiones?
  - Ventajas y desventajas del ordenador (fallos informáticos, espacio que ocupa, rapidez en la comunicación y rectificaciones, etc.).

TEMA 2:

LA VIDA DEL ESTUDIANTE Y LA VIDA DEL TRABAJADOR

- Describa la vida de un estudiante.
- ¿Las nuevas tecnologías han cambiado los métodos de estudios?
- Ventajas y desventajas de estudiar en el aula o vía Internet. ¿Hay asignaturas más fáciles que otras para estudiar por Internet?
- ¿Desaparecerán las bibliotecas por las nuevas tecnologías?
- ¿Trabaja? ¿Ha trabajado alguna vez? ¿Qué tipo de trabajo? ¿Dónde?
- Si es estudiante, ¿en qué cree que cambiará su vida cuando empiece a trabajar?
- Condiciones laborales de su país: ¿Cree que la situación es diferente a la de otros países?
- Derecho a vacaciones, bajas por enfermedad, maternidad / paternidad.

CINE, TELEVISIÓN, LITERATURA Y ESPECTÁCULOS

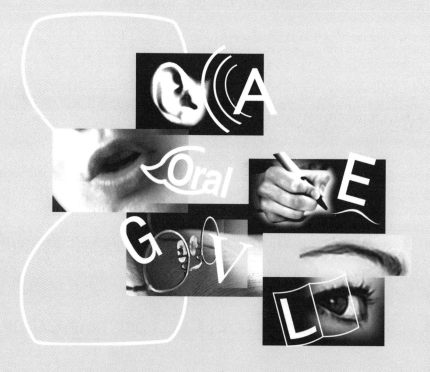

Recomendamos este libro para ampliar el vocabulario del español de España y variantes de México y Argentina.

Págs.: 59-65, 125-131

FICHA DE AYUDA
para la Expresión Escrita
y la Expresión Oral

VOCABULARIO

TELEVISIÓN

Canal (el) ....
Documental (el) ....
Magacín (el) ....
Serie (la) ....
Programa de cotilleos (el) ....
Audiencia (la) ....
Programación (la) ....
Mando a distancia (el) ....
Culebrón (el) ....
Telebasura (la) ....
Caja tonta (la) ....
Estar pegado a la tele ....
Teleadicto (el) ....

EXPRESIONES RELACIONADAS CON EL MUNDO DEL ESPECTÁCULO

Ser / Estar de cine ....
Tener tablas ....
Hacer una escena ....
Anunciar a bombo y platillo ....
Sonar la flauta ....
Dar el espectáculo ....

PELÍCULAS: EL MUNDO DEL CINE

Argumento (el) ....
Director (el) ....
Productor (el) ....
Protagonista (el) ....
Secundario (el) ....
Extras (los) ....
Con subtítulos / Subtitulada ....
Rodaje (el) ....

PELÍCULAS: GÉNEROS

De risa ....
De guerra ....
De terror / miedo ....
De suspense ....
De misterio ....
De acción ....
Del oeste ....
Comedia (una) ....
Musical (un) ....

ARTE

Clásico ....
Moderno ....
Figurativo ....
Abstracto ....
Contemporáneo ....

RADIO Y TELEVISIÓN

Noticias (las) ....
Informativos (los) ....
Debate (el) ....
Anuncios (los) ....
Presentador (el) ....
Invitado (el) ....
Grabar ....

LA RADIO

Emisora (la) ....
Tertulia (la) ....
Oyente (el / la) ....
Locutor (el) ....

CINE Y TEATRO

Pantalla (la) ....
Película (la) ....
Largometraje (el) ....
Cortometraje / Corto (el) ....
Telón (el) ....
Función (la) ....
Escenario (el) ....
Escenografía (la) ....
Iluminación (la) ....
Taquilla (la) ....
Entrada (la) ....
Butaca (la) ....
Sesión (la) ....
Estreno (el) ....

EXPOSICIONES, MÚSICA Y BAILE

Galería (la) ....
Dibujos (los) ....
Cuadro (el) ....
Cerámica (la) ....
Fotografía (la) ....
Escultura (la) ....
Concierto (el) ....
Ópera (la) ....
Zarzuela (la) ....
Recital (el) ....
Cantante (el / la) ....
Orquesta (la) ....
Solista (el) ....
Disco pirata (el) ....
Danza (la) ....
Ballet (el) ....
Coreografía (la) ....
Bailaor (el) ....

PRUEBA 1  Comprensión Lectora

TEXTO 1

LOS SERRANO

Tras medio año de descanso, vuelve la nueva temporada de esta peculiar familia, que ha mantenido la atención de millones de espectadores, enganchados a sus andanzas todos los miércoles por la noche. Resulta difícil responder a la pregunta sobre las claves de su popularidad sin pensar antes en todas las series de comedia de enredo, familiares, vecinales, que tanto éxito han tenido desde el asentamiento de las televisiones privadas.

En su día fueron *Farmacia de guardia* o *Médico de familia* las que revolucionaron este campo, pero algo cambió con *Siete vidas*. Con ella se pasó de un humor ñoño, lacrimógeno y en muchos casos con moraleja, a algo más cercano a la realidad, plagado de lenguaje urbano, palabrotas incluidas, y con referencias a temas de la calle, de actualidad social y política.

Con un poco de allí y otro de aquí se ha elaborado *Los Serrano*. En esta serie ya no se retrata a la familia modelo desde un punto de vista estético, sino a la de las situaciones límite desde el punto de vista más equívoco y absurdo. Se trata de un humor en el que se destacan los rasgos más diferenciales entre el hombre y la mujer, pero llevados al extremo, sobre todo en el caso de los primeros. Los resultados, como cabía esperar, han sido espectaculares.

Resulta curioso ver cómo las peripecias de esta familia llegan a todas las edades y, de momento, ya se están repitiendo cuotas de pantalla como las del pasado año, alcanzando alrededor de seis millones y medio de espectadores cada semana. Cabe destacar que entre el público infantil (de 4 a 12 años) llega hasta el 48,6%; en los jóvenes (de 13 a 24 años) alcanza hasta el 58,5%; en los de 25 a 34 años se sitúa en un 47,5% y en el público de 35 a 54 años llega hasta el 39,1%.

Esta popularidad se ha visto respaldada por el Premio Ondas a la Mejor Serie Española. No obstante, este éxito traspasa sus fronteras, ya que ha sido vendida a diferentes televisiones de Europa y Sudamérica, como la uruguaya Saeta TV y la chilena Canal 13. También la productora Publiespei de Italia y la TVI de Portugal han adquirido los derechos del formato para adaptarlo a su forma de vida.

Adaptado de *Plácet*, 02-2005

PREGUNTAS

1. En el texto se afirma que en el humor de *Siete vidas* aparece un lenguaje propio de las ciudades.

a) Verdadero.
b) Falso.

2. Según el texto, la serie presenta a los hombres y a las mujeres en situaciones extremas.

a) Verdadero.
b) Falso.

3. En el texto se dice que en Europa y Sudamérica se han comprado los derechos de la serie.

a) Verdadero.
b) Falso.

TEXTO 2

LAS CERTEZAS LITERARIAS DE SERGIO PITOL

Sergio Pitol, nacido en Puebla en 1933, es el Premio Cervantes de Literatura 2005, el galardón más honroso al que puede aspirar un escritor en el ámbito de la lengua española.

Pitol es el trigésimo primer escritor que recibe este premio en reconocimiento a su contribución literaria al patrimonio cultural hispánico. Es también el tercer mexicano distinguido con él: antes lo fueron Octavio Paz, en 1981, y Carlos Fuentes, en 1987.

Desde que se concedió por primera vez en 1976, lo han recibido, antes que Pitol, treinta grandes escritores, lo mismo españoles que hispanoamericanos.

Concedido anualmente por el Ministerio de Educación, Cultura y Deporte de España, a propuesta de las Academias de la Lengua de todos los países de habla hispana, solo en una ocasión se ha entregado compartido o *ex aequo*; ello ocurrió en 1979, con Jorge Luis Borges y Gerardo Diego. Las normas posteriores establecen que el Cervantes "no puede ser dividido, declarado desierto ni concedido a título póstumo".

Como ocurre cada año desde 1976, el 23 de abril, coincidiendo con la fecha en que se conmemora la muerte de Miguel de Cervantes, se entrega en la Universidad de Alcalá de Henares este galardón.

Reproducimos aquí, a manera de celebración, algunas de las certezas de Sergio Pitol sobre la vida y la literatura:

"El ideal de un escritor llegado a la edad provecta*, tal como lo imagino, es escribir solo dos o tres horas al día, leer todo lo que pueda, estudiar, revisar los clásicos del cine en vídeo, quizás dar algún breve curso universitario, ir de vez en cuando unos días a la capital para visitar a los amigos más cercanos, asomarse a las librerías y a una que otra exposición de alto nivel y volver a casa a gozar de la vida más confortable que se pueda proporcionar".

"Al organizar una novela lo que me interesa es construir una composición que pueda permitirme utilizar algunos efectos que de antemano imagino: la estructura es lo que decide la suerte de una novela".

"Ninguna novela, ni la casi totalidad de mis cuentos, concluyen definitivamente. El final queda siempre abierto. Pero es necesario proporcionarle al lector un puñado de opciones".

"Una novela, una obra de teatro, una película puede convertir en verosímil la historia más fantasmagórica siempre y cuando el autor logre manejar la clave precisa".

El Fondo de Cultura Económica ha publicado, en tres volúmenes, las *Obras reunidas* de este gran escritor mexicano.

Adaptado de *El Universal*, 11-11-2005

*Edad provecta: edad avanzada.

PREGUNTAS

4. En el texto se dice que:

a) El premio lo otorgan las Academias de la Lengua de los países de habla hispana.

b) Es un premio para escritores españoles.

c) Es el máximo reconocimiento para escritores en lengua española.

5. Según el texto, el premio:

a) En alguna ocasión puede ser compartido.

b) Hay que entregarlo todos los años.

c) Puede recibirlo un escritor que haya muerto.

6. Sergio Pitol dice que:

a) El escritor ideal es el que no pasa muchas horas escribiendo.

b) Él no termina las novelas ni los cuentos.

c) Es el escritor el que hace que nos creamos una historia o no.

TEXTO 3
NUEVA ADAPTACIÓN AL CINE DE *OLIVER TWIST*

Tras la película *El pianista*, el cineasta Roman Polanski quería hacer una historia más familiar y suave. Su atención se dirigió hacia, tal vez, la más legendaria novela realista infantil de todos los tiempos: "Descubrí que la verdadera historia de Dickens no había sido llevada al cine desde la versión de David Lean en 1948 y el musical firmado por Carol Reed veinte años más tarde. Pensé que el momento era idóneo, ya que de estas adaptaciones habían pasado casi cuarenta años", recuerda el director, aunque con memoria frágil, ya que, sin ir más lejos, en 1999 Renny Rye rodó una excelente miniserie para la televisión.

Así que ya era hora de modernizar el libreto. ¿Modernizar? Este es un cuento de Dickens en el sentido más real, lo que significa que es exuberante, intrigante e intemporal, lleno de incidentes, lo que lo hace constantemente sorprendente. "Ante todo, es un cuento para un público joven. Mi ambición era hacer una película para mis propios hijos. Les leo cuentos en la cama cada noche, y sé lo que les fascina y la manera en que se identifican con los personajes. Para mí es muy importante no defraudarlos", confiesa Polanski. Así que, antes de ponerse manos a la obra y empezar a rodar en el enorme estudio de Praga, había que encontrar a un chaval que diera vida al pícaro pero bondadoso Twist. Tras peinar Gran Bretaña, encontró a su hombrecillo cerca de Londres, que se enfrenta con doce añitos al primer gran reto de su vida.

Pero tan importante como el *casting* y el ajustado guión era el impresionante decorado que, junto con el vestuario y el atrezo*, nos trasladan en volandas al Londres de 1835 donde Dickens ambientó su obra. Un entramado compuesto por cinco calles principales, mercados y suburbios que, en algunos casos, todavía se caen de viejos.

Una muestra de la meticulosidad en el proceso: el director de arte obtuvo un mapa auténtico del Londres de la época que hasta incluía el nombre de las tiendas originales. Una vez construido, lo rellenó con ochocientos extras y carruajes a caballo y, así, Polanski tuvo la geografía exacta para pasear a su pequeño héroe.

Adaptado de *Guía de Madrid ABC*, 2-12-2005

*Atrezo: conjunto de objetos que se emplean en un escenario cinematográfico.

PREGUNTAS

7. Según el texto, Roman Polanski:

a) Descubrió que había dos antiguas versiones musicales de *Oliver Twist*.
b) Sabía que la última versión cinematográfica de *Oliver Twist* se hizo en los años cuarenta.
c) No recordaba que había una reciente versión televisiva de *Oliver Twist*.

8. En el texto se dice que Polanski:

a) No quería decepcionar a sus hijos con su película.
b) Cogió la obra entre sus manos antes de empezar el rodaje.
c) Contrató a un hombre pequeño para interpretar a Oliver.

9. En el texto se afirma que:

a) La película se rodó en los viejos escenarios reales.
b) Para la película se reconstruyó una parte del Londres del siglo XIX.
c) Se consiguió un mapa auténtico del Londres de nuestra época.

TEXTO 4

EL ÉXITO DE LA NOVELA

En las semanas siguientes Rodney casi dejó de escribirme y, para cuando a mediados de septiembre su correspondencia empezó a recobrar el ritmo anterior, mi vida había experimentado un cambio cuyo alcance real ni siquiera podía sospechar por entonces.

Fue un cambio imprevisible, aunque puede que en cierto modo Rodney lo hubiera previsto. Ya he dicho que antes del paréntesis del verano la acogida dispensada a mi novela sobre la Guerra Civil, convertida inesperadamente en un notable éxito de crítica y en un pequeño éxito de ventas, había rebasado mis expectativas más halagüeñas; sin embargo, entre finales de agosto y principios de septiembre, cuando se inicia la nueva temporada literaria y los libros de la anterior quedan confinados al olvido de los últimos estantes de las librerías, sobrevino la sorpresa: como si durante el verano los periodistas se hubiesen puesto de acuerdo para no leer más que mi novela, de repente, empezaron a convocarme para hablar de ella periódicos, revistas, radios y televisiones; como si durante el verano los lectores se hubiesen puesto de acuerdo para no leer más que mi novela, de repente empezaron a llegarme noticias alborozadas de mi editorial según las cuales las ventas del libro se habían disparado. Omito los pormenores de la historia, porque son públicos y más de uno los recordará todavía; no omito que en este caso la imagen de la bola de nieve es, pese a ser un cliché (o precisamente por serlo), una imagen exacta: en menos de un año se hicieron quince ediciones del libro, se vendieron más de trescientos mil ejemplares, estaba en vías de traducción a veinte lenguas y había una adaptación cinematográfica en curso. Aquello era un triunfo sin paliativos, que nadie en mis condiciones se hubiese atrevido a imaginar, y el resultado fue que de un día para otro pasé de ser un insolvente escritor desconocido, que llevaba una vida apartada y provinciana, a ser famoso, tener más dinero del que sabía gastar y verme envuelto en un frenético torbellino de viajes, entregas de premios, presentaciones, entrevistas, coloquios, ferias del libro y fiestas literarias que me arrastró de un lado para otro por todos los confines del país y por todas las capitales del continente.

Adaptado de *La velocidad de la luz*, Javier Cercas, Ed. Círculo de Lectores, Barcelona, 2005.

PREGUNTAS

10. Según el autor del texto:

a) En su vida se produjo un cambio sorprendente antes del verano.

b) Su libro sobre la Guerra Civil cayó en el olvido después del verano.

c) Su novela había tenido más éxito del esperado.

11. Según el texto:

a) Las ventas de su libro se habían detenido durante el verano.

b) En varios medios de comunicación se quería hablar de su novela.

c) Los lectores y los periodistas se habían puesto de acuerdo en leer su novela.

12. El autor del texto asegura que:

a) Se había realizado una película sobre la novela.

b) Gracias a su novela se había enriquecido.

c) Con su novela había pasado a ser un escritor insolvente y provinciano.

Anota el tiempo que has tardado:

Recuerda que solo dispones de **60 minutos**

PRUEBA 2 **Expresión Escrita**

PARTE N° 1. Carta personal

Tiempo disponible para escribir los dos textos, primero en borrador y luego en la hoja de respuesta a limpio

OPCIÓN 1

Usted va a viajar a España para ver un espectáculo que le interesa mucho. Allí tiene un buen amigo que le puede ayudar a comprar las entradas. Escriba una carta a su amigo en la que deberá:

- Saludarle.
- Pedirle el favor especificando el espectáculo, día, hora, precio...
- Recordar alguna experiencia que vivieron juntos.
- Quedar con él para que le entregue las entradas e invitarlo a que lo acompañe.
- Darle las gracias y despedirse.

OPCIÓN 2

Usted ha recibido una invitación de un amigo suyo español para ver la final de un torneo deportivo. Justo en esas fechas usted tiene un examen muy importante. Escriba una carta a su amigo en la que deberá:

- Saludar.
- Darle las gracias por la invitación.
- Excusarse y pedir disculpas.
- Proponerle un plan para hacer juntos.
- Despedirse.

PARTE N° 2. Redacción

OPCIÓN 1

Todos hemos visto alguna película o hemos leído algún libro que nos ha gustado de forma especial. Escriba una redacción en la que:

- Cuente el argumento.
- Describa a los personajes más importantes.
- Explique por qué le interesó de forma especial.

OPCIÓN 2

"Cine: ¿arte o diversión?". Elabore un escrito en el que:

- Dé argumentos a favor o en contra de las dos opciones.
- Exprese su opinión.
- Proporcione algún ejemplo que la justifique.
- Elabore una breve conclusión.

Sugerencias para las cartas

Recuerde que debe incluir la fecha, el lugar, el destinatario, el remitente, el encabezamiento formal y, al final, la línea de despedida. En el cuerpo de la carta puede ayudarse de los siguientes modelos:

OPCIÓN 1

PEDIR UN FAVOR

◻ ¿Podrías (hacerme el favor de) comprarme / sacarme las entradas para…?

◻ ¿Te importaría comprarme las entradas para…?

◻ Quería pedirte un favor: que me compraras / compres las entradas…

◻ ¿Puedes sacarme las entradas, si no te importa, para…?

◻ Hazme un favor, cómprame las entradas para…

CONCRETAR

◻ Te puedo enviar una transferencia para que no tengas que adelantar el dinero.

◻ Te llamaré la próxima semana para concretarlo todo.

◻ Si tienes algún problema, escríbeme.

ESPECIFICAR ESPECTÁCULO

◻ El partido de fútbol, de tenis, de baloncesto…

◻ La final de…

◻ Las carreras de motos, de coches…

◻ El concierto de…

◻ Se celebra en…

◻ Es en…

◻ El estadio / el campo de…

◻ El pabellón

◻ El circuito

◻ El polideportivo

◻ En el auditorio

◻ En la sala

◻ En el teatro

OPCIÓN 2

AGRADECER LA INVITACIÓN

◻ Quiero agradecerte que te hayas acordado de mí para invitarme a…

◻ Muchas gracias por tu invitación… me ha hecho muchísima ilusión.

◻ ¡Qué sorpresa tu invitación! ¡Me ha encantado!

PEDIR DISCULPAS

◻ La verdad es que me encantaría ir, pero siento decirte que no puedo…

◻ Me gustaría mucho ir, pero no puedo,

  ▪ porque…

  ▪ es que…

◻ Siento no poder ir, (pero…)

◻ Qué pena no poder ir, (pero…)

EXCUSARSE

◻ Justo ese día tengo un examen muy importante para mi licenciatura.

Anota el tiempo que has tardado:

Recuerda que solo dispones de **60 minutos**

PRUEBA 3  Comprensión Auditiva

30 min Tiempo aproximado para los cuatro textos

CD Audio
Pista 13

TEXTO 1

EL DÍA DE LOS MUERTOS

PREGUNTAS

1. Las expo–ventas artesanales y las muestras gastronómicas serán el día anterior a los festejos.

a) Verdadero.
b) Falso.

2. En la audición se afirma que el Día de Muertos se celebra en 41 pueblos del sur de México.

a) Verdadero.
b) Falso.

3. Según la grabación, habrá cuatro días de relatos nocturnos.

a) Verdadero.
b) Falso.

CD Audio
Pista 14

TEXTO 2

SHAKIRA, JUANES Y CARLOS VIVES, EN LOS PREMIOS "LO NUESTRO" DE ESTE AÑO

PREGUNTAS

4. En la audición se afirma que el dúo dominicano Monchy y Alexandra son candidatos:

a) Al premio en la categoría de bachata.
b) A los premios en la categoría de música tropical.
c) A los cinco premios de las categorías establecidas.

5. Según la audición, el cantante Luis Fonsi:

a) Da las gracias al público por su nominación.
b) Siente un gran cariño hacia su público.
c) Da las gracias al público por su éxito.

6. En la audición se afirma que los cantantes Carlos Vives y Juan Luis Guerra:

a) Han conseguido, respectivamente, dos candidaturas.
b) Han conseguido una candidatura cada uno.
c) Han conseguido una candidatura por cada uno de sus temas.

CD Audio
Pista 15

TEXTO 3

LA HUELLA EN MADRID DE DELHY TEJERO

PREGUNTAS

7. Según la grabación, Delhy Tejero:

a) Fue una desconocida en su época.
b) No ha tenido éxito hasta ahora.
c) Recibió muy buenas críticas en su época.

8. En la grabación se dice que:

a) En los dibujos se puede ver su sensibilidad.
b) Madrid fue la causa de sus preocupaciones.
c) En sus dibujos podemos ver cómo eran algunos aspectos del Madrid de esa época.

9. En los dibujos de Delhy Tejero se pueden ver:

a) Las causas de la Guerra Civil
b) Los barrios de las afueras de Madrid.
c) Los montes de Madrid.

CD Audio
Pista 16

TEXTO 4

ANTONIO BANDERAS, EN SU MÁLAGA NATAL

PREGUNTAS

10. Según la entrevista, lo más atractivo de la película es:

a) Contar la historia de jóvenes llenos de sueños.
b) Tener la oportunidad de trabajar en su ciudad.
c) Las similitudes del director con su historia personal.

11. Para Antonio Banderas, el cambio de la adolescencia a la madurez:

a) Es un drama mirado por los adultos con lupa.
b) Es una reflexión dramática sobre la vida y la muerte.
c) Es dramático.

12. La novela de Soler atrajo a Antonio Banderas:

a) Por su perfil político.
b) Por la temática social.
c) Por la ausencia de referencias políticas.

Anota el tiempo que has tardado:

Recuerda que solo dispones de **30 minutos**

PRUEBA 4  Gramática y Vocabulario

60 **Tiempo disponible**
min para hacer todos
los ejercicios de
la sección 1 y 2

SECCIÓN 1: Texto incompleto

JOAQUÍN GUTIÉRREZ ACHA, DOCUMENTALISTA DE *NATIONAL GEOGRAPHIC*

- ¿Qué supone para usted rodar para *National Geographic*?
- Para un documentalista español rodar para una cadena como *National Geographic* significa, de alguna forma, haber llegado a la ____1____, haber conseguido uno de los objetivos profesionales más importantes en la carrera de un productor y cámara de naturaleza. La *Sociedad National Geographic* está considerada ____2____ una de las mejores compañías de producción de ____3____, trabajar para ellos significa estar ____4____ los mejores, para mí es un ____5____.
- ¿Qué tiene de mítico?
- Esta sociedad tiene más ____6____ cien años y ____7____ todos los rincones del planeta. Sus expediciones, cartografías, documentales, proyectos de investigación, los canales de televisión que los ____8____ y la revista les ha hecho únicos y míticos. Poder asociar mi trabajo ____9____ de tantas personas relevantes y admiradas por mí, supone alcanzar una de las ____10____ con las que siempre soñé.
- ¿Son exigentes?
- Son extraordinariamente exigentes, su grandísima reputación les obliga ____11____ ser así. Conseguir los niveles de calidad exigidos ____12____ esta compañía requiere grandes ____13____ de autocrítica y seguir rigurosamente todas sus instrucciones cuando estamos en producción. Saben que en cada nuevo programa su nombre se pone ____14____ riesgo, por eso no dejan nada al ____15____.
- ¿Cómo es el método de trabajo que les hace tan característicos?
- Los proyectos nacen con una historia, ____16____ es la columna del futuro documental y ____17____ la que se trabaja hasta la entrega final del trabajo. Científicos, asesores de contenido, guionistas, ayudan desde el primer momento en la confección del programa antes de que ____18____ el rodaje. Por último, una música apropiada, un ____19____ de locución bien adaptado a la imagen y un buen ____20____ hacen el resto.

Adaptado de *ABC*, 23-11-2005.

1.	**a)** cabeza	**b)** cima	**c)** montaña
2.	**a)** como	**b)** en	**c)** por
3.	**a)** documentaciones	**b)** documentales	**c)** documentos
4.	**a)** entre	**b)** para	**c)** desde
5.	**a)** deseo	**b)** homenaje	**c)** honor
6.	**a)** en	**b)** que	**c)** de
7.	**a)** ha escrutado	**b)** ha viajado	**c)** ha estado
8.	**a)** difunden	**b)** extienden	**c)** retransmiten
9.	**a)** al	**b)** con	**c)** a
10.	**a)** obsesiones	**b)** ilusiones	**c)** metas
11.	**a)** en	**b)** a	**c)** de
12.	**a)** a	**b)** por	**c)** de
13.	**a)** dotes	**b)** sesiones	**c)** raciones
14.	**a)** de	**b)** a	**c)** en
15.	**a)** fracaso	**b)** éxito	**c)** azar
16.	**a)** que	**b)** la que	**c)** quien
17.	**a)** entre	**b)** sobre	**c)** ante
18.	**a)** comenzó	**b)** comienza	**c)** comience
19.	**a)** relato	**b)** guión	**c)** resumen
20.	**a)** montaje	**b)** montado	**c)** remonte

SECCIÓN 2: Selección múltiple

Ejercicio 1

21. • ¡Vámonos ya, hace muy mal tiempo!
   • No sé para qué has venido, **eres un aguafiestas**.

   a) atraes la lluvia
   b) estropeas la diversión
   c) no bebes más que agua

22. • Juan siempre llega tarde, no le van a dejar entrar.
   • Parece que lo hace **a propósito**.

   a) intencionadamente
   b) sin darse cuenta
   c) siempre en estas ocasiones

23. • Estos amigos a los que has invitado no hacen más que **dar la lata**.
   • Sí, ya sabes cómo son.

   a) animar la fiesta
   b) hacer ruido
   c) molestar

24. • ¿Conoces al grupo Amaral?
   • Sí, sé algo **de oídas**.

   a) de oír su música
   b) de oír hablar de ellos
   c) de haber ido a un concierto suyo

25. • ¿Vamos al teatro a ver el último espectáculo de Rafael Amargo?
   • Creo que lo han quitado **de la noche a la mañana**.

   a) esta noche
   b) ayer por la mañana
   c) inesperadamente

26. • ¡Mira lo que ha hecho Pedro!
   • Sí, es que **es un manitas**.

   a) es poco habilidoso
   b) es muy habilidoso
   c) es muy ingenioso

27. • ¿Qué tal la entrevista de ayer?
   • **De cine**.

   a) Estupenda
   b) Hablamos de cine
   c) Desastrosa

28. • ¡Fíjate en Diana, siempre está **dando el espectáculo**!
   • Sí, siempre hace lo mismo.

   a) actuando en público
   b) cantando y bailando
   c) llamando la atención

29. ▪ ¿Qué te parece el nuevo premio Planeta?
• No sé, parece un hombre muy **reservado**.

    a) inteligente
    b) introvertido
    c) observador

30. ▪ ¿Qué te parece la crítica del nuevo espectáculo?
• La he leído **punto por punto** y no estoy muy de acuerdo.

    a) detalladamente
    b) rápidamente
    c) ordenadamente

Ejercicio 2

31. ▪ La exposición _____ en la sala Velázquez.
• Estupendo. Podemos ir esta tarde, si quieres.

    a) es
    b) está

32. ▪ Ayer _____ toda la tarde preparando el guión para el teatro de fin de curso.
• Chico, tienes que descansar un poco.

    a) pasaba
    b) pasé

33. ▪ ¿Qué tal la ópera a la que fuiste el domingo?
• Muy bien, _____ fantástica.

    a) era
    b) fue

34. ▪ Tienes dos itinerarios para Córdoba. ¿_____ dónde vas a ir?
• No sé, tengo que pensarlo.

    a) Por
    b) Para

35. ▪ Pepe, ¿qué piensas de esa película?
• _____ mí, es un poco larga.

    a) Para
    b) Por

36. ▪ ¿Me pasas un bolígrafo?
• Lo siento, aquí no hay _____.

    a) ningún
    b) ninguno

37. ▪ ¿Qué opinas de lo que ocurrió ayer?
• Creo que _____ hizo nada por solucionar el problema.

    a) alguien
    b) nadie

38. ▪ ¿Me dejas elegir a mí el DVD para alquilar?
• Sí, claro, coge _____ quieras.

    a) el cual
    b) lo que
    c) el que
    d) lo cual

39. • Jaime tarda mucho _____ llegar. Estoy preocupada.
• Tranquila, mujer. El concierto terminaba a las diez y son solo las diez y media.

    a) de
    b) en
    c) por
    d) con

40. • No sé qué _____ hacer esta tarde.
• ¿Qué te parece si vamos al teatro y luego cenamos por ahí?

    a) podamos
    b) podemos
    c) hemos podido
    d) hayamos podido

41. • ¡_____, no me vas a convencer para ver la película con subtítulos!
• Muy bien, pues ahí te quedas. Me voy yo sola.

    a) Aunque digas
    b) A pesar de que digas
    c) Digas lo que digas
    d) Pese a que digas

42. • Voy a comprar pan.
• Ah, _____ bajas a la calle, ¿puedes traer algo para la cena?

    a) porque
    b) ya que
    c) cuando
    d) en cuanto

43. • Mamá, tengo hambre.
• Espera, que preparo la cena _____ diez minutos.

    a) desde
    b) en
    c) por
    d) para

44. • Mi marido compró el sofá antes de que _____ las rebajas.
• ¿Sí? Es una pena, porque ahora está mucho más barato.

    a) empezaron
    b) empiecen
    c) han empezado
    d) empezaran

45. • No le cuentes nada a Pedro de todo esto.
• De acuerdo, no _____ diré nada.

    a) se lo
    b) le
    c) lo
    d) se le

46. • Esto es muy urgente.
• Sí, debemos terminarlo _____ antes si queremos que llegue a tiempo.

    a) cuanto
    b) cuando
    c) en cuanto
    d) en tanto

Preparación Diploma de Español (Nivel Intermedio)

47.   ▪ ¿Vas el sábado a la fiesta de Ana? _____ va Luis.
      • Pues me cae fatal.

   a) Es posible
   b) Puede que
   c) Lo mejor
   d) Igual

48.   ▪ ¿Qué te pasa?
      • Que por muchas películas que vea no llego _____ entender bien español.

   a) de
   b) por
   c) en
   d) a

49.   ▪ ¡Oye!, _____ acaba de ocurrir una idea fantástica. ¡Qué listo soy!
      • ¿Cuál? Cuenta, cuenta.

   a) se le
   b) se me
   c) me lo
   d) se le

50.   ▪ Silvia me ha dicho que _____.
      • ¿Para qué?

   a) llámala
   b) la llame
   c) tenga que llamarla
   d) deba llamarla

51.   ▪ ¿Has mirado ya las exposiciones que hay?
      • No, me pongo _____ ello mañana.

   a) por
   b) de
   c) a
   d) hacia

52.   ▪ ¿Vamos a ver la película? ¡Es muy buena!
      • _____ fuera la única película en cartelera, no iría. No me gusta pasar miedo.

   a) Con tal de que
   b) De
   c) A pesar de que
   d) Aunque

53.   ▪ Voy a llamar a Esteban, me dijo que le _____ cuando hubiera una exposición de escultura.
      • Sí, a él le gusta mucho.

   a) avisara
   b) avisaría
   c) avisaba
   d) avisé

54. • ¿Vais a salir?
• Pues no lo sé, _____ salir, iremos a picar algo.

    a) a
    b) de
    c) con
    d) para

55. • ¡Anda, mira quién está ahí! El actor _____ te hablé el otro día, que sale en la serie de los miércoles.
• ¡Ah, sí!

    a) con el que
    b) del que
    c) de lo que
    d) con lo que

56. • ¿Sabes ya lo que le ha pasado a Pablo?
• ¿Es _____ me contaste el otro día?

    a) lo que
    b) lo cual
    c) el que
    d) el cual

57. • ¿Estás enfadada porque no ha venido?
• No, no porque no _____, sino porque no ha avisado.

    a) venga
    b) haya venido
    c) viene
    d) ha venido

58. • ¿Has hablado ya con José?
• No, y cuando _____ diga, va a montar en cólera.

    a) se le
    b) se la
    c) se lo
    d) le

59. • Llámame, ¿vale?
• Sí, en cuanto me _____ del precio de las entradas, te llamo o te mando un mensaje.

    a) entero
    b) entera
    c) enteraré
    d) entere

60. • Me ha dicho Jorge que no sabe nada del asunto.
• Pues le mandé la nota por correo electrónico para que se la _____.

    a) leyó
    b) leía
    c) haya leído
    d) leyera

Anota el tiempo que has tardado:

Recuerda que solo dispones de **60 minutos**

PRUEBA 5  Expresión Oral

 **10-15** min Tiempo disponible de preparación

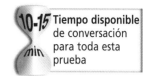 **10-15** min Tiempo disponible de conversación para toda esta prueba

Descripción de láminas

Elija una de estas historietas, descríbala y cuente lo que sucede.

HISTORIETA 1

Póngase en el lugar de la primera chica:

¿Qué le contaría a su compañera de clase?: "_____"

HISTORIETA 2

Póngase en el lugar de una de las dos chicas:

¿Qué le diría a la otra?: "_____"

Temas para la exposición oral

Prepare un tema durante 10-15 minutos. Después preséntelo oralmente. Aquí tiene unas sugerencias: puede hablar de todos los puntos o elegir el / los que considere más interesante/-s.

TEMA 1:

LA TELEVISIÓN

- ■ ¿Le gusta ver la televisión?
- ■ ¿Qué tipo de programas ve?
- ■ ¿Qué tipo de programas no soporta?
- ■ ¿Qué le falta y qué le sobra a la televisión actual?
- ■ Diferencias y similitudes de la televisión en diferentes países que conozca.
- ■ La televisión, ¿une o desune a las familias?
- ■ ¿Cree que la televisión y los otros medios de comunicación influyen en nuestra vida?
- ■ ¿Es lícito hablar de la vida privada de los políticos, famosos, etc.?

TEMA 2:

ACTIVIDADES DEL TIEMPO LIBRE

- ■ Respecto al cine, ¿Prefiere las películas dobladas o en versión original con subtítulos? ¿Qué tipo de películas?
- ■ Las películas, ¿en casa (vídeo, DVD) o en el cine?
- ■ Cuente una película que le haya gustado y explique por qué (actores, director, tema, género, ...).
- ■ ¿Va al teatro? ¿A qué tipo de obras?
- ■ ¿Le gusta ir a exposiciones / museos...? ¿De qué tipo?
- ■ ¿Va a conciertos? ¿De qué tipo?

SALUD, ENFERMEDAD Y MEDICINA

Recomendamos este libro para ampliar el vocabulario del español de España y variantes de México y Argentina.

Págs.: 111-118

VOCABULARIO

FICHA DE AYUDA
para la Expresión Escrita
y la Expresión Oral

PROBLEMAS DE SALUD / MEDICINA

Resfriado (el) ......
Catarro (el) ......
Gripe (la) ......
Úlcera (la) ......
Tensión (la) ......
Fractura (la) ......
Lesión (la) ......
Herida (la) ......
Arañazo (el) ......
Estrés (el) ......
Insomnio (el) ......
Ansiedad (la) ......
Bacterias (las) ......
Virus (el / los) ......
Obesidad (la) ......
Sobrepeso (el) ......
Engordar ......
Adelgazar ......
Peso ideal (el) ......
Anorexia (la) ......
Bulimia (la) ......
Dieta (la) ......
Régimen (el) ......
Medicina convencional (la) ......
Medicina alternativa (la) ......
Homeopatía (la) ......
Acupuntura (la) ......
Antigimnasia (la) ......
Reflexología (la) ......
Curandero (el) ......
Empeorar ......
Mejorar ......
Curarse ......
Cicatrizar ......
Contagiar ......
Tener mala cara ......
Estar malo ......
Estar delicado ......

LA SALUD

Llevar una vida sana ......
Llevar una vida sedentaria ......
Higiene (la) ......
Hacer ejercicio ......
Cuidarse ......
Alimentación equilibrada (la) ......
Estar como un roble ......
Tener una salud de hierro ......
Estar hecho polvo ......

HOSPITALES Y CENTROS MÉDICOS

Pedir hora ......
Consulta (la) ......
Urgencias (las) ......
Ambulatorio (el) ......
Clínica (la) ......
Diagnóstico (el) ......
Receta (la) ......
Recetar ......
Dosis (la) ......
Pastilla (la) ......
Cápsula (la) ......
Pomada (la) ......
Antiséptico (el) ......
Calmante (el) ......
Terapia (la) ......
Inyección (la) ......
Vacuna (la) ......
Vacunar ......
Escayola (la) ......
Escayolar ......
Trasplante (el) ......
Seguridad Social (la) ......
Seguridad privada (la) ......
Seguro médico (el) ......

EXPRESIONES RELACIONADAS CON PARTES DEL CUERPO

No levantar cabeza ......
Romperse la cabeza ......
Tener mucha cara ......
Costar un ojo de la cara ......
En un abrir y cerrar de ojos ......
Hacer la vista gorda ......
Ser un bocazas ......
Tirar a alguien de la lengua ......
No tener pelos en la lengua ......
Tomar el pelo ......
Hacer oídos sordos ......
Levantarse con el pie izquierdo ......
Dormir a pierna suelta ......
Estar en los huesos ......
Tener / Dejar algo a mano ......

LOS CINCO SENTIDOS

Vista (la) ......
Olfato (el) ......
Oído (el) ......
Gusto (el) ......
Tacto (el) ......

PRUEBA 1 Comprensión Lectora

60 **Tiempo**
min **disponible**
para los
cuatro textos

TEXTO 1

HALLAN PROPIEDADES ANTICANCEROSAS EN EL VENENO DE SERPIENTES

Un equipo del Consejo Superior de Investigaciones Científicas (CSIC) en la Comunidad Valenciana ha descubierto dos proteínas –*obtustatina* y *jerdostatina*– en el veneno de las serpientes, que son eficaces contra el crecimiento de células cancerosas. Este descubrimiento, cuya eficacia ha sido probada en ratones, abre un gran abanico de posibilidades para la producción de fármacos de mayor potencial con los que combatir tumores, utilizando la estrategia de la muerte por inanición de las células cancerosas.

La investigación ha estado liderada por un equipo del Instituto de Biomedicina de Valencia, dirigida por Juan José Calvete, que trabaja desde hace más de diez años en la evolución y las características de las proteínas procedentes del veneno de víboras. Estas proteínas bloquean, de forma selectiva, la función de receptores que alimentan a las células cancerosas.

Según Calvete, estos receptores desempeñan papeles fundamentales en numerosos procesos fisiológicos y en patologías tales como la osteoporosis, la isquemia coronaria, la artritis, algunas infecciones bacterianas, inflamaciones y enfermedades autoinmunes, entre otras. Los investigadores, en colaboración con el doctor Cezary Marcinkiewicz, de la Temple University (Philadelphia, EEUU), descubrieron la proteína *obtustatina* en el veneno de la serpiente denominada *Vipera lebetina*. Esta proteína puede representar una estrategia eficaz para cortar el suministro de nutrientes a las células cancerosas y, en consecuencia, impedir el crecimiento del tumor.

Los ensayos realizados en ratones con tumores a los que se suministró *obtustatina* demostraron la efectividad parcial de esta estrategia, al reducir el tamaño de los tumores en un 50%. Para Calvete, es fascinante poder revertir en el laboratorio la estrategia de la selección natural, convirtiendo toxinas letales en drogas que salven vidas.

Adaptado de *El Correo*, 10-12-2005

PREGUNTAS

1. En el texto se afirma que las proteínas del veneno de serpiente se han incorporado a algunos fármacos destinados al hombre.

a) Verdadero.
b) Falso.

2. Según el texto, las proteínas del veneno de serpiente impiden la nutrición de las células cancerosas.

a) Verdadero.
b) Falso.

3. En el texto se afirma que los ensayos fueron eficaces en el 50% de los ratones.

a) Verdadero.
b) Falso.

TEXTO 2
LA ÚLCERA SE BATE EN RETIRADA

La úlcera gastroduodenal es una erosión en la mucosa del aparato gastrointestinal. Uno de cada cinco afectados sufre hemorragia digestiva, y uno de cada veinte padece perforación de estómago. Los síntomas comienzan por un dolor de estómago, por lo común, dos o tres horas después de las comidas, que se calma con antiácidos o leche.

Hace unos años, un retrato-robot describía con fidelidad los rasgos que definían al paciente ulceroso: varón, por lo general de edad madura, de perpetuo mal humor y obligado a tomar leche para apaciguar su recurrente dolor de estómago. Hoy, ese tipo de sufridor ha desaparecido. Una revolución terapéutica ha convertido esa patología tan extendida en una molestia que puede ser eliminada para siempre en una par de semanas.

La base de este hito, uno de los mayores que se ha producido en la medicina del aparato digestivo, fue el descubrimiento del origen infeccioso de las úlceras gastrointestinales. En 1982 y tras analizar cientos de biopsias de la mucosa gástrica, dos médicos patólogos australianos lograron identificar la bacteria responsable. Este descubrimiento convirtió en obsoletas bibliotecas enteras de hipótesis relativas a la causa de esta cruz que la humanidad venía acarreando desde tiempos inmemoriales (entre ellas, la influencia del estrés). Como reconocimiento a este hallazgo, Robin Warren y Barry J. Marshall han recibido en 2005 el Premio Nobel de Medicina.

Saber que se trataba de un microbio resolvió la mitad del problema; ya solo quedaba por identificar el tratamiento adecuado para eliminarlo. En pocos años lo consiguieron.

Todos los gastroenterólogos coinciden: cada vez se ven menos casos de úlcera en las consultas. A falta de estadísticas nacionales, los datos regionales confirman sus impresiones. Un estudio realizado en Zaragoza demostró que entre 1985 y 2000 la incidencia de la enfermedad se redujo en un 41,4%, mientras que las complicaciones descendieron un 25,4%.

Adaptado de *El País Semanal*, 27-11-2005

PREGUNTAS

4. Según el texto, la úlcera:

   a) Puede provocar que algún órgano sangre.
   b) Comienza con problemas estomacales nada más empezar a comer.
   c) Está contraindicada con la leche.

5. En el texto se dice que los que padecen úlcera suelen ser:

   a) Hombres ya entrados en años.
   b) Personas que tienen mal humor.
   c) Hombres que no toman suficiente leche.

6. Según el texto, el descubrimiento:

   a) Ha supuesto un gran adelanto para la medicina.
   b) Implica la desaparición de la enfermedad.
   c) Ha relacionado la úlcera con el estrés.

TEXTO 3
OPINIÓN CRÍTICA CONTRA LAS MEDICINAS ALTERNATIVAS

¿Por qué muchas personas creen en las pseudomedicinas? La principal razón es que creen (sin base) que funcionan. Aquí tiene mucho que ver la falta de formación científica que nos garantizan los modernos sistemas educativos, y que incluye una carencia casi total de sentido crítico. Fuera de su especialidad todo el mundo tiende a ser bastante crédulo. También influye la creciente desconfianza hacia la ciencia en general y hacia la medicina científica en particular y el no menos creciente auge de las creencias irracionales de moda. No es infrecuente que el seguidor de una mal llamada terapia alternativa sea también un furibundo creyente en la presencia de los alienígenas entre nosotros, en los misterios de las pirámides, en la combustión humana espontánea, en el tarot, en las conspiraciones.

¿Por qué muchos médicos practican o apoyan las pseudomedicinas? Las razones, contra lo que cabría imaginar, no son muy diferentes. La formación científica de la mayoría de los profesionales de la medicina es muy pobre (muchos médicos no son otra cosa que técnicos en enfermedades) y son muchas las ocasiones en que no podrán dar un juicio de valor sobre si la utilidad de una terapia ha sido demostrada o no; con frecuencia confundirán la evidencia anecdótica con la evidencia científica. Sin un adecuado conocimiento de la fisiología y de la bioquímica es fácil empezar a creer en fuerzas oscuras. Los intereses crematísticos tampoco pueden ser dejados de lado: las pseudomedicinas son por lo general monetariamente muy productivas (cosa que los seguidores de las terapias alternativas optan por no mencionar), y con una gran ventaja, que producen a corto plazo, en tanto que cualquier especialista de la medicina "oficial" solo comenzará a ver los resultados de su trabajo luego de varios años. Y un último factor, para nada desdeñable: la soberbia intelectual de muchos médicos. ¿Tienen justificación las medicinas alternativas? Aquí la respuesta solo puede ser un no tajante. No hay justificación para que alguien con una enfermedad curable si se trata racionalmente a tiempo vaya a ponerse en manos de alguien que invocará fuerzas y le colocará cristales o agujas u otros tratamientos igual de inútiles. Tampoco tiene justificación que alguien enferme o muera de una enfermedad prevenible simplemente porque al gurú de turno no le simpatizan las vacunaciones. Las pseudomedicinas no son otra cosa que colecciones bastardas de opiniones gratuitas, asociadas a "terapéuticas" sin base ni utilidad, y deben ser tratadas en consecuencia.

Este artículo se publicó originalmente en *Paraciencias al día*, página escéptica venezolana desaparecida.
Se reproduce ahora en la Biblioweb de sinDominio con permiso del autor, Javier Garrido. *www.sindominio.net*

PREGUNTAS

7. Según el texto, muchas personas creen en las pseudomedicinas porque:

   a) No tienen apenas sentido crítico.
   b) Piensan que la medicina científica es irracional.
   c) No confían en las modas científicas.

8. En el texto se dice que muchos médicos apoyan las pseudomedicinas:

   a) Por la falta de formación científica de algunos de ellos.
   b) Porque creen que la medicina oficial da crédito al éxito de terapias aisladas.
   c) Porque son rentables económicamente.

9. El autor está en contra de estas medicinas alternativas:

   a) Por el peligro de someterse a prácticas como clavarse cristales o agujas.
   b) Porque estas medicinas están en contra de las vacunas.
   c) Por la falta de efectividad y fundamento.

TEXTO 4

EL ATAQUE CONTRA LOS BEJARAI

El celador había aceptado el dinero. Una cantidad sustanciosa solo por dejar abierta la puerta de dos celdas, la del mudo y la de los Bejarai. No había nada malo en ello, o por lo menos él no haría nada, tan solo olvidarse de echar el cerrojo.

La prisión estaba en silencio. Hacía dos horas que los presos habían sido encerrados en sus celdas. Los pasillos apenas estaban iluminados, y los celadores de servicio dormitaban.

Los Bejarai empujaron la puerta de su celda comprobando que estaba abierta. El individuo había cumplido. Pegándose a la pared, pero arrastrándose casi a ras de suelo, se dirigieron hacia el otro extremo del pasillo, donde sabían que estaba la celda del mudo. Si todo iba bien, en menos de diez minutos habrían vuelto a su celda y nadie se enteraría de nada.

Habían recorrido la mitad del pasillo cuando el pequeño, que cerraba la marcha, sintió una mano apretándole el cuello. No pudo esbozar el grito, sintió un golpe pesado en la cabeza y perdió el sentido. El mayor de los Bejarai se volvió demasiado tarde, un puñetazo se estrelló contra su nariz y empezó a sangrar; tampoco pudo gritar, una mano de hierro le apretaba el cuello y no le dejaba respirar, sintió que se le escapaba la vida.

Los dos hermanos se despertaron en su celda, tirados en el suelo, mientras un celador atónito daba la voz de alarma. Se alegraron de estar vivos mientras los trasladaban a la enfermería, pero alguien los había traicionado. Les estaban esperando.

El médico dictaminó que debían permanecer en observación en la enfermería. Habían recibido unos golpes brutales en la cabeza y sus rostros eran un amasijo de sangre, con los ojos casi cerrados a causa de la hinchazón. Se quejaron y, por indicación del médico, la enfermera les inyectó un calmante que los sumió en un nuevo sueño.

Adaptado de *La hermandad de la Sábana Santa*, Julia Navarro, Ed. Plaza y Janés, Barcelona, 2000.

PREGUNTAS

10. En el texto se afirma que:

a) El celador se había olvidado de echar el cerrojo.

b) Los trabajadores de guardia estaban medio dormidos.

c) En menos de diez minutos los Bejarai habían vuelto a su celda.

11. Según el texto:

a) El hermano menor dio un pequeño grito y perdió el conocimiento.

b) Un aparato metálico en el cuello le impidió respirar al hermano mayor.

c) El hermano mayor iba en primer lugar.

12. En el texto se dice que:

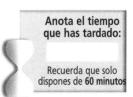

Anota el tiempo que has tardado:

Recuerda que solo dispones de 60 minutos

a) El médico ordenó a los hermanos continuar su investigación en la enfermería.

b) Las caras de los hermanos estaban llenas de sangre.

c) La enfermera les dio una pastilla para dormir.

PRUEBA 2 Expresión Escrita

PARTE Nº 1. Carta personal

Tiempo disponible para escribir los dos textos, primero en borrador y luego en la hoja de respuesta a limpio

OPCIÓN 1

Usted está en la clínica tras una reciente operación y recibe un regalo inesperado de una persona conocida. Escriba una carta a esta persona en la que deberá:

- Saludarle, darle las gracias por el regalo y expresar sorpresa.
- Preguntar cómo ha recibido las noticias sobre su operación.
- Explicar su problema médico y su estado actual.
- Recordar la última vez que se vieron.
- Proponer una cita, darle las gracias y despedirse.

OPCIÓN 2

Usted ha recibido la noticia de que un buen amigo, al que hace mucho tiempo que no ve, está gravemente enfermo. Escriba una carta a su amigo en la que deberá:

- Saludarlo.
- Explicar cómo se ha enterado de su enfermedad.
- Preguntarle por su estado actual.
- Darle ánimos y ofrecer su ayuda.
- Expresar deseos de verlo y despedirse.

PARTE Nº 2. Redacción

OPCIÓN 1

Todos hemos sufrido en nuestra vida algún problema físico –un accidente, una enfermedad– o conocemos a algún familiar o amigo que lo haya padecido. Escriba una redacción en la que:

- Cuente el problema y la situación en que se produjo.
- Describa cómo le afectó a usted y a las personas de su entorno.
- Explique cómo se sintió.

OPCIÓN 2

"Fumar en público debería estar prohibido en todos los países y en todos los lugares". Elabore un escrito en el que:

- Dé argumentos a favor o en contra de esta afirmación.
- Exprese su opinión.
- Proporcione algún ejemplo que la justifique.
- Elabore una breve conclusión.

Sugerencias para las cartas

Recuerde que debe incluir la fecha, el lugar, el destinatario, el remitente, el encabezamiento formal y, al final, la línea de despedida. En el cuerpo de la carta puede ayudarse de los siguientes modelos:

OPCIÓN 1

EXPRESAR SORPRESA Y AGRADECIMIENTO

- Me he quedado muy sorprendido al recibir tu regalo y te estoy muy agradecido/a.
- Me he llevado una gran sorpresa al recibir tu regalo y quiero darte las gracias.
- La verdad es que no me esperaba recibir ningún regalo: te lo agradezco mucho / muchísimo / de todo corazón.
- Me ha sorprendido mucho tu regalo: ¡muchas gracias!
- ¡Qué sorpresa tan grande recibir tu regalo! ¡Mil gracias por el detalle!
- ¡Me ha encantado! ¡No tenías que haberte molestado!

PREGUNTAR CÓMO HA RECIBIDO LA NOTICIA

- ☐ ¿Quién te ha dicho / te ha contado lo de mi operación?
- ☐ ¿Cómo te has enterado de que me han operado / me operaban?

OPCIÓN 2

EXPLICAR CÓMO HA CONOCIDO LA NOTICIA Y CÓMO HA REACCIONADO

- ☐ Me he enterado por Jaime de lo de tu enfermedad y me he quedado de piedra.
- ☐ Me ha contado / ha dicho Jaime que estabas muy enfermo y no me lo podía creer.
- ☐ Me ha contado que estás muy grave y me he quedado helado.
- ☐ No sabes cuánto lo siento.
- ☐ Lo siento muchísimo / un montón.
- ☐ ¡Cuánto lo siento!

DAR ÁNIMOS

- ☐ Tienes que luchar, ánimo…
- ☐ Tú eres fuerte, no puedes venirte abajo.
- ☐ Hoy en día la medicina ha avanzado mucho…
- ☐ Cada vez hay más personas que se curan…
- ☐ Ten fe / esperanza…
- ☐ No te desanimes…
- ☐ Piensa en tu familia / en tus amigos…

OFRECER AYUDA

- ☐ Estoy a tu disposición para lo que quieras.
- ☐ Si necesitas hablar con alguien, llámame.
- ☐ Para cualquier cosa que necesites, cuenta conmigo.
- ☐ ¿Quieres que te acompañe al médico?

Anota el tiempo que has tardado:

Recuerda que solo dispones de **60 minutos**

 **30** **Tiempo aproximado** para los cuatro textos

CD Audio Pista 17

TEXTO 1
TRASPLANTE DE ROSTRO

PREGUNTAS

1. Según la grabación, antes de hacer el trasplante de cara han surgido problemas morales.

   a) Verdadero.
   b) Falso.

2. En la grabación se dice que la desfiguración del rostro se debe a la agresión de un animal salvaje.

   a) Verdadero.
   b) Falso.

3. La operación la ha realizado el equipo de especialistas de un hospital francés.

   a) Verdadero.
   b) Falso.

CD Audio Pista 18

TEXTO 2
LAS PROPIEDADES CURATIVAS DEL AGUA DEL MAR

PREGUNTAS

4. Según la grabación:

   a) ciertos experimentos realizados en Colombia y Nicaragua han demostrado el efecto relajante del agua de mar.
   b) la ingestión de tres vasos diarios de agua de mar puede calmar el dolor y combatir las infecciones.
   c) el uso terapéutico del agua de mar será el tema central del IV Foro Mundial del Agua.

5. En la grabación se informa de que:

   a) al IV Foro Mundial del Agua asistirán 1.300 personas de 120 países.
   b) la directora de una clínica de Managua presentará un proyecto para tratar con agua de mar a más de 5.000 pacientes.
   c) hay estudios que prueban que el agua de mar y el plasma sanguíneo tienen una composición similar.

6. En la audición se dice que el consumo de agua de mar:

   a) es eficaz para sanar un buen número de dolencias.
   b) tiene poder curativo, en dosis no superiores a los 50 mililitros.
   c) tiene propiedades curativas en más de cincuenta enfermedades.

CD Audio
Pista 19

TEXTO 3

¿PIES SIN DOLOR? EL TAMAÑO SÍ IMPORTA

PREGUNTAS

7. En la grabación se dice que los zapatos de tacón:

a) Agrandan la figura.

b) Afectan a las rodillas.

c) No causan problemas si son anchos.

8. Según la grabación:

a) Los problemas de los pies dependen del tipo de pie.

b) El calzado solo afecta a los pies.

c) Los podólogos prohíben el tacón.

9. Una de las características del zapato ideal es que:

a) El tacón mida menos de cuatro centímetros.

b) Su forma sea estrecha.

c) El pie quede suelto.

CD Audio
Pista 20

TEXTO 4

LA LEY ANTITABACO

PREGUNTAS

10. Según la audición, será posible fumar:

a) En los centros de trabajo privados que así lo decidan.

b) En los despachos de los centros privados.

c) En el exterior de los centros privados.

11. En el texto se afirma que:

a) En los bares de menos de 100 metros no se podrá fumar.

b) En los bares de 85 a 100 metros se podrá fumar.

c) En los bares de menos de 100 metros se decidirá si es posible fumar.

12. Según la nueva ley, los espacios para fumadores en locales de más de 100 metros:

a) Deben estar indicados.

b) Pueden disponer de un espacio para los empleados.

c) Deben estar separados con una mampara.

Anota el tiempo que has tardado:

Recuerda que solo dispones de **30 minutos**

PRUEBA 4 — Gramática y Vocabulario

60 min Tiempo disponible para hacer todos los ejercicios de la sección 1 y 2

SECCIÓN 1: Texto incompleto

LA PREVENCIÓN ES VITAL

La obesidad es un problema de salud en sí mismo, ligado, según diversos estudios, a una menor ___1___ de vida, especialmente si no se controlan algunos de los ___2___ asociados, como la hipertensión y la hipercolesterolemia, o bien se fuma o se tiene muy poca actividad física.

Además, la obesidad aumenta el ___3___ de sufrir numerosas enfermedades y problemas de salud. Cuando un obeso ___4___ reducir su peso, todos esos problemas se verán atenuados y se reducirá el riesgo de sufrir ciertas enfermedades: es el caso de la diabetes de tipo 2, la hipertensión arterial y la artrosis. Sin embargo, los cambios que la obesidad imprime en el organismo son a veces ___5___: por ejemplo, si las paredes de las arterias se han cubierto de placa de ateroma, la pérdida de peso ya no bastará ___6___ corregir este problema, aunque sea de todos modos beneficiosa y ___7___ los riesgos cardiovasculares.

Por lo ___8___, es fundamental evitar el ___9___ y, si se sufre, hacer todo lo posible para no llegar ___10___ estadio siguiente, que es la obesidad, máxime si tenemos en cuenta que ___11___ medida que aumenta el número de kilos sobrantes, se vuelve más difícil ___12___ de ellos. En este sentido, es particularmente importante la ___13___ temprana: los buenos hábitos alimentarios desde la infancia son la mejor vacuna contra la obesidad, y las autoridades deberían ___14___ a promocionarlos.

En cuanto a las personas que ya sufren obesidad, lo mejor es que ___15___ varios objetivos y traten de alcanzarlos bajo la ___16___ del médico: perder peso gracias a una dieta equilibrada; hacer ejercicio ___17___ pero regular; mantener bajo control la hipertensión y la diabetes, con ayuda, si es preciso, de los eficaces medicamentos al uso.

Estas medidas son particularmente necesarias para las personas ___18___ exceso de grasa tiende a acumularse en ___19___ a la cintura y para las que alternan fases de adelgazamiento con otras de recuperación de peso, es decir, las que padecen el llamado síndrome "yoyó", pues son las que tienen una salud más ___20___ .

Adaptado de *OCU-Salud,* nº 63, Diciembre 2005-Enero 2006.

1.	**a)** longitud	**b)** esperanza	**c)** experiencia
2.	**a)** trastornos	**b)** contagios	**c)** percances
3.	**a)** riesgo	**b)** efecto	**c)** resultado
4.	**a)** trata	**b)** evita	**c)** logra
5.	**a)** irrepetibles	**b)** irreversibles	**c)** improbables
6.	**a)** a	**b)** en	**c)** para
7.	**a)** reduzca	**b)** reduce	**c)** redujo
8.	**a)** cuanto	**b)** tanto	**c)** dicho
9.	**a)** engorde	**b)** sobrepeso	**c)** apetito
10.	**a)** en	**b)** el	**c)** al
11.	**a)** a	**b)** en	**c)** de
12.	**a)** eliminarse	**b)** reducirse	**c)** deshacerse
13.	**a)** previsión	**b)** prevención	**c)** precaución
14.	**a)** comprometerse	**b)** tratar	**c)** insistir
15.	**a)** se ponen	**b)** se pondrían	**c)** se pongan
16.	**a)** visión	**b)** supervisión	**c)** protección
17.	**a)** físico	**b)** suave	**c)** intenso
18.	**a)** cuyo	**b)** con	**c)** en las que
19.	**a)** medio	**b)** mitad	**c)** torno
20.	**a)** vulnerable	**b)** de hierro	**c)** arriesgada

SECCIÓN 2: Selección múltiple

Ejercicio 1

21. ▪ ¿Has visto? Álvaro se ha tomado todas las vitaminas.
• Sí, es que **tiene mucha cara**.

    a) es un aprovechado
    b) se encuentra débil
    c) tiene mucho desgaste

22. ▪ Esta noche he dormido **a pierna suelta**...
• Esta y todas... duermes siempre como un lirón.

    a) con las piernas estiradas
    b) profundamente
    c) sin pegar ojo

23. ▪ ¡Creo que María ha dejado de fumar!
• **Me estás tomando el pelo**.

    a) Me estás dejando de piedra
    b) Me trae sin cuidado
    c) Te estás burlando de mí

24. ▪ Buenos días, traía esta receta...
• Sí, es **una pomada**, ahora se la traigo.

    a) una medicina en crema
    b) una medicina para beber
    c) una medicina en gotas

25. ▪ ¿Qué te pasa?
• ¡Uf, que **estoy hecho polvo**!

    a) estoy preocupado
    b) tengo mucho estrés
    c) estoy agotado

26. ▪ Muchas modelos **están en los huesos**.
• Ya, se lo exigen para poder desfilar en las pasarelas.

    a) están a régimen
    b) están extremadamente delgadas
    c) están siempre haciendo gimnasia

27. ▪ Mira, nos han visto fumando y aquí está prohibido.
• Seguro que **hacen la vista gorda**.

    a) nos miran la documentación
    b) se fijan en nosotros
    c) fingen que no nos han visto

28. ▪ Aquí están los análisis.
• Ahora los miro, déjalos **a mano**.

    a) cerca
    b) delante
    c) encima

29. ▪ ¿Qué tal me encuentra, doctor?
• Está usted **como un roble**.

   a) muy saludable
   b) demasiado rígido
   c) muy débil

30. ▪ ¿Qué te pasa? ¿Por qué tienes esa cara?
• Uf, es que tengo **una terrible jaqueca**.

   a) un fuerte dolor de muelas
   b) un fuerte dolor de espalda
   c) un fuerte dolor de cabeza

Ejercicio 2

31. ▪ ¿Qué te pasa? _____ blanco.
• Sí, no me encuentro bien.

   a) Estás
   b) Eres

32. ▪ ¿Por qué no ha venido Andrés?
• Porque _____ enfermo.

   a) es
   b) está

33. ▪ ¿Sabes que Ángela _____ embarazada?
• ¿Sí? ¡Cuánto me alegro!

   a) es
   b) está

34. ▪ ¿Dónde _____ enterrado Goya?
• En la ermita de San Antonio de la Florida.

   a) es
   b) está

35. ▪ ¿_____ usted que España es uno de los países donde hay más donación de órganos?
• Pues no.

   a) Supo
   b) Sabía

36. ▪ ¿Qué sabes de Ángel?
• Que lo _____ ayer y que todo ha salido bien.

   a) operaban
   b) operaron

37. ▪ Javier ya tiene los resultados de los análisis y todo está bien.
• Me alegro _____ él.

   a) para
   b) por

38. ▪ _____ estar sano, es importante cuidar la alimentación.
• Sí, claro, es normal.

   a) Para
   b) Por

39. ▪ ¿Qué te ha dicho el médico?
• Que no es _____.

    a) nada
    b) algo

40. ▪ Me encuentro cansadísima últimamente.
• Pues tómate _____ vitamina, y ya verás cómo lo notas.

    a) cualquier
    b) cualquiera

41. ▪ ¡Qué desorden hay aquí!
• ¡Sí, está todo _____ hubiera pasado un huracán!

    a) si
    b) por si
    c) como
    d) como si

42. ▪ ¿Qué le pasa a José Luis? Tiene mala cara últimamente.
• No sé, _____ esté un poco débil, porque come muy poco.

    a) a lo mejor
    b) a ver si
    c) puede que
    d) mientras que

43. ▪ ¿Viste ayer al director del gimnasio?
• No, pero a _____ me encontré allí fue al amigo de Carmen.

    a) que
    b) quien
    c) cuyo
    d) cual

44. ▪ ¿Te duele mucho la rodilla?
• No, no mucho, pero _____ me caí, no puedo andar igual.

    a) desde
    b) cuando
    c) desde que
    d) despúes

45. ▪ ¡Qué delgada estás? ¿Haces alguna dieta?
• No, _____ pasa es que camino mucho cada día.

    a) lo cual
    b) lo que
    c) el que
    d) el cual

46. ▪ Creo que, _____ le contara la noticia, ya la sabía.
• Sí, ¡qué mujer! No sé cómo siempre se entera de todo.

    a) antes de que
    b) mientras que
    c) en caso de que
    d) siempre que

47. ▪ Estuvimos en un hotel precioso.
   • Sí, es verdad. Además, la vista _____ la terraza era impresionante.

    a) de
    b) hasta
    c) desde
    d) ante

48. ▪ ¿No vienes conmigo?
   • No, no me muevo de aquí _____ no termine el documental.

    a) después de que
    b) hasta que
    c) cuando
    d) tan pronto como

49. ▪ Me duelen muchísimo los talones.
   • Claro. Te dije que no te _____ esos zapatos para andar por el campo.

    a) hubieras puesto
    b) pondrías
    c) pusieras
    d) ponías

50. ▪ Es lógico que Carla _____ preocupada por Raúl.
   • Sí, desde luego, el accidente con la moto fue grave.

    a) está
    b) estaba
    c) estará
    d) esté

51. ▪ Voy a contarle todo lo que pasó.
   • Ten cuidado con lo que dices. Yo no me fiaría _____ él.

    a) de
    b) en
    c) por
    d) con

52. ▪ Ya veo que te cuidas mucho. ¿Qué estás tomando?
   • Es un zumo de frutas al que _____ añade leche y soja.

    a) lo
    b) les
    c) se le
    d) se les

53. ▪ Elisa, ¿no te parece que _____ trabajando demasiado?
   • Ya, pero no me queda otro remedio.

    a) estás
    b) estés
    c) estarías
    d) estuvieras

54.
- Mantén la espalda recta.
- Sí, es verdad. _____ intento acordarme, cada vez que me siento se me olvida.

   a) Siempre que
   b) Cuando
   c) Aunque
   d) Con tal de que

55.
- Aún no ha llegado Blanca y son ya las tres y media.
- _____ todavía en el dentista, porque tenía hora a las tres.

   a) Esté
   b) Estaba
   c) Estuviera
   d) Estará

56.
- Mañana me voy a los Pirineos a hacer senderismo.
- ¡Qué suerte! ¡Que te _____!

   a) divertirás
   b) diviertas
   c) diviertes
   d) divertirías

57.
- No intentes engañarme. No creas que me chupo el dedo.
- Te dije la verdad, _____ no te enfades ahora conmigo.

   a) para que
   b) aunque
   c) de modo que
   d) porque

58.
- No sé si _____ a llegar los pedidos a tiempo.
- Bueno, bueno, no te agobies.

   a) van
   b) vayan
   c) fueran
   d) irán

59.
- ¿Qué te dijo el médico?
- Que no tenía importancia y que la herida _____ pronto.

   a) cicatrizara
   b) cicatrice
   c) cicatrizaría
   d) haya cicatrizado

60.
- Tienes que paladear un poco más el vino para sacarle todo el sabor.
- ¡Vaya! Ya veo que entiendes mucho _____ vinos. ¿Has hecho un curso de cata?

   a) en
   b) con
   c) de
   d) acerca

Anota el tiempo que has tardado:

Recuerda que solo dispones de **60 minutos**

Preparación Diploma de Español (Nivel Intermedio)

PRUEBA 5   Expresión Oral

 **10-15** min Tiempo disponible de preparación

10-15 min Tiempo disponible de conversación para toda esta prueba

Descripción de láminas

Elija una de estas historietas, descríbala y cuente lo que sucede.

HISTORIETA 1

Póngase en el lugar del hombre o de la mujer:

¿Qué le diría a su pareja?: "_____"

HISTORIETA 2

Póngase en el lugar del hombre o de la mujer:

¿Qué le propondría a su mujer / marido?: "_____"

Temas para la exposición oral

Prepare un tema durante 10-15 minutos. Después preséntelo oralmente. Aquí tiene unas sugerencias: puede hablar de todos los puntos o elegir el / los que considere más interesante/-s.

TEMA 1:

OTRAS FORMAS DE CURAR: LA MEDICINA ALTERNATIVA

- ¿Conoce otras formas de sanar?
  - Homeopatía
  - Antigimnasia
  - Reflexología
  - Curanderos
  - Acupuntura
- ¿Por qué cada vez es más frecuente este tipo de medicina?
- ¿Qué tipo de personas acuden a estos especialistas?
- ¿Es igual en España y en su país?
- ¿Cuál es su opinión? ¿Ha recurrido alguna vez a este tipo de medicina? Cuente su experiencia.

TEMA 2:

PROBLEMAS DE SALUD EN EL SIGLO XXI

- ¿Padecemos las mismas enfermedades que antes?
- ¿Cuáles son las enfermedades típicas del siglo XXI?
- ¿El estrés es una enfermedad? ¿Cómo se diagnostica y cómo se cura?
- ¿La anorexia y la bulimia son enfermedades nuevas?
- Cada vez hay más remedios para las enfermedades... ¿vamos a vivir eternamente?; ¿en qué condiciones viviremos?
- La curación de una enfermedad, ¿depende de los recursos económicos?
- ¿Está contento con los servicios de la Seguridad Social en su país?

NATURALEZA, ENERGÍA Y MEDIO AMBIENTE

Recomendamos este libro para ampliar el vocabulario del español de España y variantes de México y Argentina.

Págs.: 43-49

VOCABULARIO

FICHA DE AYUDA
para la Expresión Escrita
y la Expresión Oral

EL MEDIO AMBIENTE

Flora (la) ....
Fauna (la) ....
Parque Natural (el) ....
Parque Nacional (el) ....
Reserva natural (la) ....
Bosque (el) ....
Arroyo (el) ....
Manantial (el) ....
Selva (la) ....
Desertización (la) ....
Deforestación (la) ....
Sequía (la) ....
Ecosistema (el) ....
Especie protegida (la) ....
Especie en peligro
de extinción (la) ....
Cazador furtivo (el) ....
Recursos naturales (los) ....
Sobreexplotación (la) ....
Ecología (la) ....
Grupo ecologista (el) ....
Talar ....
Tala (la) ....
Podar ....
Poda (la) ....

ENERGÍA

Recursos energéticos (los) ....
Energías alternativas (las) ....
Energía (la)
  • nuclear ....
  • térmica ....
  • eléctrica ....
  • hidráulica ....
  • eólica ....
  • solar ....
  • fotovoltaica ....

CATÁSTROFES

Incendio (el) ....
Temblor (el) ....
Terremoto (el) ....
Erupción volcánica (la) ....
Huracán (el) ....
Inundación (la) ....
Tsunami (el) ....
Maremoto (el) ....
Tornado (el) ....
Tifón (el) ....
Riada (la) ....

LA CONTAMINACIÓN

Residuos (los) ....
Basura (la) ....
Vertedero (el) ....
Depuradora (la) ....
Tóxico ....
Contaminante ....
Biodegradable ....
Contaminación atmosférica (la)..............................
Contaminación acústica (la) ....
Efecto invernadero (el) ....
Calentamiento global (el) ....
Capa de ozono (la) ....
Vertidos tóxicos (los) ....
Lluvia ácida (la) ....

EXPRESIONES RELACIONADAS CON ELEMENTOS DE LA NATURALEZA

Echar raíces ....
Echar flores a alguien ....
Estar en las nubes ....
Ser agua pasada ....
Echar leña al fuego ....
Jugar con fuego ....
Hacer leña del árbol caído ....
Andarse por las ramas ....
Ser claro como el agua ....
Tener pájaros en la cabeza ....
Tener un aire ....
Trabajar de sol a sol ....
Romper el hielo ....
Estar en el quinto pino ....

RECICLAR

Reciclaje (el) ....
Producto reciclable (el) ....
Producto reciclado (el) ....
Envase retornable (el) ....
Contenedor (el) ....
  • de vidrio ....
  • de papel ....
  • de envases ....

CLIMA

Húmedo	....	Brisa (la)	....
Seco	....	Niebla (la)	....
Frío	....	Tormenta (la)	....
Templado	....	Trueno (el)	....
Caluroso	....	Relámpago (el)	....
Nubes (las)	....	Rayo (el)	....

60 min Tiempo disponible para los cuatro textos

TEXTO 1
LOS EUROPEOS Y EL MEDIO AMBIENTE

La gran mayoría de los europeos, entre ellos los españoles, aseguran preservar el medio ambiente. Esta es una de las principales conclusiones del estudio que realiza la Comisión Europea en veinticinco países sobre las actitudes de los ciudadanos europeos respecto al medio ambiente.

Los datos muestran que los ciudadanos son conscientes de su importancia, puesto que el 85% de los europeos afirman cuidar el entorno.

Sin embargo, aunque un 19% de los europeos cree que realmente su aportación para proteger el medio ambiente está teniendo resultados positivos, hay un elevado porcentaje de la población que, aunque asegura cuidarlo, coincide en afirmar que no percibe que su esfuerzo ofrezca los resultados deseados.

Algunas personas creen que hay falta de colaboración de los otros ciudadanos, otras responsabilizan a la industria o consideran que hay falta de información. Un 13% de la población no se muestra dispuesta a aumentar la colaboración debido, entre otros motivos, al tiempo extra que requiere y a los costes adicionales que les supondría. Y los hay que raramente o nunca llevan a cabo acciones para proteger el entorno natural.

A partir de estos datos, el estudio de la Comisión Europea clasifica a la población española y europea en cuatro grupos: convencidos, escépticos, no convencidos y no comprometidos.

Los europeos dan su opinión sobre las medidas deseables para mejorar su entorno: una mayoría de los entrevistados señala que un buen comienzo es la clasificación de residuos. Un 39% considera importante el ahorro en el consumo de energía. Un 32% defiende la reducción de residuos, por ejemplo, evitando la compra de productos con envases no reciclables o adquiriendo productos de segunda mano.

Los españoles, concretamente, siguen esta misma tendencia, aunque resulta significativo que otorguen menos importancia a la compra de productos ecológicos y a la consideración del medio ambiente a la hora de tomar decisiones de compra.

Adaptado de *Muchomás*, otoño de 2005

PREGUNTAS

1. Según el texto, una gran mayoría de los encuestados afirma que sus esfuerzos para proteger el medio ambiente están obteniendo los resultados deseados.

a) Verdadero.
b) Falso.

2. En el texto se dice que, para algunos encuestados, la protección del medio ambiente puede suponer un sacrificio en tiempo y dinero.

a) Verdadero.
b) Falso.

3. Según el texto, los encuestados españoles defienden la compra de objetos usados y de productos ecológicos.

a) Verdadero.
b) Falso.

TEXTO 2

VIENTO Y SOL GRATIS

Las principales potencias económicas producen energía muy por encima de lo que les correspondería por su masa de población. Es el caso de Francia, que con alrededor de sesenta millones de habitantes produce más energía que China, con más de mil millones de seres humanos. Incluso España se ve obligada a comprar energía al vecino galo. Pero podríamos satisfacer nuestra demanda atendiendo al Sol, que cada año regala a la Tierra cuatro mil veces más energía de la que esta consume. Entonces, ¿por qué no la transformamos? Al alcance de nuestra mano hay una serie de energías limpias, baratas, silenciosas, renovables y seguras ecológicamente hablando: no despiden CO_2 a la atmósfera y, por tanto, no contribuyen al cambio climático.

Dos destacan sobre el resto: la energía eólica y la energía solar. La primera plantea problemas bastante inferiores a sus ventajas: la estética alterada del paisaje y la adaptación de las aves a las corrientes creadas por las grandes aspas. Los beneficios que presenta, sin contar con el hecho de que en cualquier momento los enormes molinos se pueden retirar, dejando el entorno exactamente igual que estaba, son argumentos que avasallan a sus escasos detractores.

En el caso de la energía solar, la situación es más compleja, muchas veces debido precisamente a las facilidades que presenta. Hoy en día hay claros ejemplos de sus beneficios, en la Costa de la Muerte (Galicia) y en Tarifa (Cádiz).

Esta energía se fundamenta en el aprovechamiento de la inmensa masa calorífica con la que el Sol baña el planeta. Para ello hay tres tipos de procesos: el de la energía termoeléctrica, la térmica de baja temperatura y la fotovoltaica. En la primera, la energía se puede almacenar; la segunda se utiliza para el calentamiento del agua, y la tercera para la conversión directa en electricidad.

Nuestro país está a la cabeza en uno de los sistemas de generación de energía solar. Según datos de *Greenpeace*, aquí se producen anualmente paneles fotovoltaicos con una capacidad de 50 MW, lo que nos sitúa en el séptimo puesto mundial. El gran paso adelante puede ser la decisión del gobierno de obligar a que toda construcción nueva incluya placas fotovoltaicas.

Adaptado de *Tiempo de hoy*, 24-01-05

PREGUNTAS

4. En el texto se dice que:

a) Francia consume más energía que China.

b) La demanda de energía en España se satisface gracias al Sol.

c) Contamos con la posibilidad de acceder a energías respetuosas con el medio ambiente.

5. Según el texto, la energía eólica:

a) Tiene la ventaja de que no perjudica al paisaje.

b) Permite la adaptación de las aves al movimiento de sus brazos.

c) Presenta ventajas que dejan sin argumentos de peso a los que están en contra.

6. Según el texto:

a) La energía solar es aprovechada, con éxito, en varias regiones españolas.

b) España está en una posición destacada en todos los sistemas de producción de energía solar.

c) El gobierno va a obligar a instalar acumuladores de energía en las nuevas viviendas.

LOS DINOSAURIOS Y LA HIERBA

Los dinosaurios comían hierba. Esta afirmación sencilla en apariencia, encierra, sin embargo, una notable novedad científica. Hasta ahora, en efecto, ese hecho carecía de cualquier prueba sólida sobre la que apoyarse. Todas las especies herbívoras de dinosaurios comían, según se pensaba, hojas, bayas y arbustos. Pero no hierba. Y no lo hacían por el simple hecho de que no había hierba suficiente que comer.

Hoy en día, existen más de diez mil especies de pasto en todos los continentes, excepto en la Antártida. Y en una u otra de sus numerosas clases, la hierba constituye la fuente principal del sustento para un elevadísimo número de especies animales.

La ausencia (o mala calidad) de restos fósiles directos de esta clase de vegetales primitivos ha impedido hasta ahora el estudio detallado de su evolución con animales, especialmente con los dinosaurios, que dominaron el planeta hace entre 250 y 65 millones de años. Pero ahora la presencia de estas plantas bajo forma de silicatos vegetales (fitolitos), preservados en el interior de excrementos fosilizados de grandes saurópodos que vivieron en la India hace entre 65 y 71 millones de años, ha cambiado por completo el panorama.

Un grupo de científicos coordinados por el Museo de Historia Natural de Estocolmo ha descubierto la primera evidencia directa de que los dinosaurios también se alimentaban de pasto. Y ha publicado los resultados de su investigación en la revista *Science*. Los restos analizados pertenecen al menos a cinco variedades diferentes de hierba, lo cual indica, además, una notable capacidad de diversificarse y extenderse por el continente prehistórico Gondwana, mucho antes de que la India tuviera su configuración geográfica actual.

Otros fitolitos extraídos igualmente del interior de los mismos excrementos fósiles de dinosaurios han revelado asimismo que se alimentaban indiscriminadamente de una gran variedad de plantas.

Estos resultados tienen una gran importancia en el estudio, hasta ahora casi inexistente, de las interacciones primitivas entre herbívoros y plantas, una relación que tiene numerosos efectos evolutivos en cada uno de estos grupos. Los investigadores, además, aseguran que los dinosaurios no eran los únicos consumidores de hierba en la época, que probablemente también era consumida por ciertos enigmáticos mamíferos de Gondwana cuyos extraños dientes parecían ser los más adecuados para la masticación de esta clase de vegetales.

Adaptado de *ABC*, 18-11-2005

PREGUNTAS

7. Según el texto, el hecho de que los dinosaurios comieran hierba:

   a) Ha supuesto un gran descubrimiento científico.

   b) No ha aportado nada a la investigación.

   c) Afirma lo que ya se sabía sobre su alimentación.

8. Según el texto, el que los dinosaurios comieran hierba se ha sabido:

   a) Al examinar excrementos fosilizados.

   b) Por la coevolución con otros animales.

   c) Por su capacidad de diversificarse y extenderse.

9. En el texto se dice que:

   a) Solo comían hierba los dinosaurios.

   b) Los mamíferos comían hierba.

   c) Quizás algunos mamíferos con una dentadura especial comieran hierba.

TEXTO 4

LA ESPADA DE FUEGO

No tardó Derguín en encontrar un arroyo que corría entre álamos y sauces. Siguió una angosta trocha, esquivando las zancadillas* de las raíces que asomaban a su paso. El terreno se hizo más accidentado y al poco se encontró caminando entre las paredes de una garganta que no mucho más tarde moría entre un espaldón de roca. El arroyo se había ensanchado, y allí perdió Derguín la pista del perfume. Miró a su alrededor. Al frente y a la izquierda se levantaba el murallón de piedra, surcado por profundas líneas verticales, como zarpazos dejados por una bestia mitológica, y a la derecha trepaba un talud sembrado de vegetación que entre las sombras se adivinaba impenetrable. En el agua se dibujaban traviesos remolinos junto a las orillas, pero en el centro era un espejo. El aire olía a ozono, presagiando una tormenta imposible en aquel cielo cuajado de estrellas. Pese al relente Derguín sintió el impulso de despojarse de la ropa. Se quitó el capote y lo dejó caer sobre una piedra redondeada. Después se desciñó la espada y la ocultó bajo el capote. La siguieron las botas, las calzas, la pelliza; por fin, se quitó la túnica y su piel se erizó al contacto con el aire. El reflejo en el agua parecía burlarse de él: "Rómpeme si te atreves".

"Derguín..."

Se giró a todas partes, sin saber si había escuchado su nombre o si una racha de viento había dejado un susurro engañoso entre los árboles. Volvió a contemplar el agua. No tenía idea de cuánto podía cubrir, pero le tentaba sentir su caricia en la piel. Se subió a un saledizo de piedra que se asomaba sobre las cañas y saltó de cabeza, dispuesto a romper el rostro de la luna.

El agua estaba tan fría que le congeló el aliento. Pero Derguín se dejó deslizar, libre, sin tocar el fondo en el que podía haberse roto el cráneo por su temeridad. Abrió los ojos y vio un resplandor verde. Lo siguió aunque una vocecilla en su cabeza le advertía de que era una trampa.

Adaptado de *La Espada de Fuego*, Javier Negrete, Ed. Minotauro, Madrid, 2003

*Zancadilla: acción que consiste en poner una pierna delante de alguien. En el texto se trata de un uso metafórico.

PREGUNTAS

10. En el texto se dice que Derguín:

a) Se iba tropezando con las raíces que aparecían a su paso.

b) Quería seguir el arroyo.

c) Iba siguiendo el rastro de un perfume.

11. Según el texto:

a) Alrededor de Derguín se vaticinaba una tormenta.

b) Derguín se desnudó.

c) Alguien pronunció su nombre.

12. El autor del texto asegura que:

a) Se metió en el agua poco a poco.

b) Estuvo a punto de romperse la cabeza.

c) Tuvo el presentimiento de que se hallaba ante una trampa.

Anota el tiempo que has tardado:

Recuerda que solo dispones de **60 minutos**

PRUEBA 2   Expresión Escrita

PARTE N° 1. Carta personal

60 min **Tiempo disponible** para escribir los dos textos, primero en borrador y luego en la hoja de respuesta a limpio

OPCIÓN 1

Usted ha recibido un correo electrónico de un amigo en el que le pide que se quede con su perro durante quince días debido a un viaje que quiere realizar. A usted no le gustan los perros y le supone un gran inconveniente quedarse con él. Escriba una carta a esta persona en la que deberá:

- Saludarlo.
- Rechazar la petición y explicar los motivos.
- Expresar disculpas y proponer alternativas.
- Proponer una cita y despedirse.

OPCIÓN 2

Usted es un enamorado de la naturaleza y en su última excursión por un paraje natural de su región ha encontrado varios atentados contra el medio ambiente. Escriba una carta a la Delegación del Medio Ambiente de su país en la que deberá:

- Presentarse.
- Explicar el motivo de su carta.
- Enumerar los atentados contra el medio ambiente.
- Lamentarse y pedir soluciones.
- Avisar de que está dispuesto a tomar otras medidas y despedirse.

PARTE N° 2. Redacción

OPCIÓN 1

Todos hemos tenido en nuestro entorno un animal o mascota en algún momento de nuestra vida. Escriba una redacción en la que:

- Describa al animal, sus hábitos y habilidades.
- Explique cómo lo consiguió.
- Cuente alguna anécdota simpática que le ocurrió con él.

OPCIÓN 2

"Las amenazas sobre el cambio climático son exageraciones de algunos científicos y ecologistas extremistas. Los peligros no son tan graves ni tan inminentes". Elabore un escrito en el que:

- Dé argumentos a favor o en contra de esta afirmación.
- Exprese su opinión.
- Proporcione algún ejemplo que la justifique.
- Elabore una breve conclusión.

Sugerencias para las cartas

Recuerde que debe incluir la fecha, el lugar, el destinatario, el remitente, el encabezamiento formal y, al final, la línea de despedida. En el cuerpo de la carta puede ayudarse de los siguientes modelos:

OPCIÓN 1

RECHAZAR LA PETICIÓN

□ Me encantaría que me dejaras a Pecas, pero…
□ Me gustaría quedarme con tu perro, pero es que…
□ Me resulta imposible quedarme con Pecas…
□ Siento no poder quedarme con Pecas…
□ No voy a poder quedarme con tu perro…

DISCULPARSE

□ Siento mucho decirte que no…
□ Me pones en un compromiso…
□ Espero que lo entiendas…
□ No te lo tomes a mal…
□ Compréndeme…
□ Ponte en mi lugar…

EXPLICAR LOS MOTIVOS

□ Estoy todo el día fuera.
□ Mi casa es muy pequeña.
□ Tengo alergia al pelo de los animales.
□ A mi familia no le gustan los perros.
□ Se va a aburrir en casa.
□ Los perros y yo…

PROPONER ALTERNATIVAS

□ ¿Por qué no lo llevas a un hotel de perros? Creo que están fenomenal.
□ Puedes dejárselo a Beatriz, que tiene perro y jardín en su casa.
□ Puedes pedir el favor a algún vecino de confianza que tenga perro.

OPCIÓN 2

EXPLICAR EL MOTIVO DE LA CARTA

□ El motivo de mi carta es poner en su conocimiento el abandono medioambiental de los montes de la región.

□ Le escribo esta carta para denunciar el grave deterioro del medio ambiente en los montes de la región.

□ Les escribo para decirles que nuestros montes están en un estado lamentable.

LAMENTARSE

□ Es una lástima que se tenga tan poco respeto por el medio ambiente.

□ Es una pena que esté todo tan abandonado.

□ Es una vergüenza que se haya llegado a esta situación.

AVISAR

□ Espero que lo solucionen, en caso contrario me veré obligado a poner el asunto en conocimiento de la Comisión del Medio Ambiente.

PROBLEMAS DEL MEDIO AMBIENTE

□ Montes llenos de maleza y árboles caídos.
□ Tala irracional de árboles.
□ Suciedad: envases, latas, vidrios…
□ Ríos contaminados por vertidos tóxicos.
□ Motoristas por los caminos rurales.
□ Limpieza de coches en el río…

PEDIR SOLUCIONES

□ Les ruego que tomen medidas urgentes para solucionarlo.
□ Les pido que solucionen de inmediato este grave deterioro.
□ Tienen que tomar medidas drásticas para resolverlo.

Anota el tiempo que has tardado:

Recuerda que solo dispones de **60 minutos**

Preparación Diploma de Español (Nivel Intermedio)

30 min Tiempo aproximado para los cuatro textos

CD Audio

Pista 21

TEXTO 1

LA TORMENTA TROPICAL "DELTA" APAGA LA LUZ EN CANARIAS

PREGUNTAS

1. Según la grabación, la tormenta "Delta" dejó sin luz a una de cada cuatro personas.

a) Verdadero.
b) Falso.

2. En la grabación se afirma que los centros hospitalarios sufrieron las consecuencias del apagón.

a) Verdadero.
b) Falso.

3. Según la audición, la ministra señaló que es un fenómeno normal, causado por el efecto invernadero.

a) Verdadero.
b) Falso.

CD Audio

Pista 22

TEXTO 2

TRAGEDIA EN BLANCO

PREGUNTAS

4. En el anuncio de televisión se puede ver:

a) A la organización ecologista.
b) A un bebé oso y su madre ahogándose.
c) Cómo se deshace el hielo.

5. En la audición se dice que:

a) En el anuncio hay una vista aérea del casquete ártico.
b) El casquete polar se está empezando a alejar de la costa.
c) Los osos se están ahogando por el deshielo.

6. Según la grabación:

a) En una nueva tesis se advierte de que el oso blanco puede desaparecer.
b) El Polo Norte es una gran base de hielo que se está derritiendo.
c) Algunos expertos piensan que el Polo Norte desaparecerá antes de que termine el siglo.

CD Audio
Pista 23

TEXTO 3

CUIDAR DE LOS APARATOS ELECTRODOMÉSTICOS

PREGUNTAS

7. Según la audición:

a) el consumo de los aparatos eléctricos depende de la eficiencia energética de la persona que los consume.

b) la resistencia del tostador de pan y de la plancha tiene un funcionamiento similar.

c) el tostador se usa menos tiempo que la plancha, pero consume más.

8. Según la grabación:

a) el consumo de los electrodomésticos depende de la potencia de su motor.

b) siempre se pagará más por el consumo de un televisor que por el de una radio.

c) el televisor consume tanto como la radio si los dos están funcionando el mismo tiempo.

9. En la grabación se recomienda:

a) que sea el fabricante el que lleve a cabo el mantenimiento de los aparatos.

b) no doblar nunca el cable de los aparatos para mantenerlos en buen estado.

c) no dejar encendidos los aparatos cuando no se estén utilizando.

CD Audio
Pista 24

TEXTO 4

EL NUEVO HOMBRE DEL TIEMPO DE ANTENA 3

PREGUNTAS

10. En la audición se afirma que Roberto Brasero es:

a) Un experto en la información del tiempo.

b) El nuevo meteorólogo de Antena 3.

c) Un periodista que informa del tiempo.

11. Según Roberto Brasero:

a) Un día nublado nos causa dolor de cabeza.

b) En el informativo pueden aparecer imágenes de la salida del sol.

c) La niebla puede ser bonita.

12. En la audición, Roberto Brasero afirma que:

a) El calor pesado causa depresión.

b) No hay datos científicos definitivos sobre la influencia del tiempo en la salud.

c) Nuestros planes cambian al igual que las condiciones atmosféricas.

Anota el tiempo que has tardado:

Recuerda que solo dispones de **30 minutos**

Preparación Diploma de Español (Nivel Intermedio)

PRUEBA 4 Gramática y Vocabulario

60 min Tiempo disponible para hacer todos los ejercicios de la sección 1 y 2

SECCIÓN 1: Texto incompleto

PASCUAL ROVIRA, DOCTOR EN BURROS

Pascual Rovira, de 46 años, ha dedicado parte de su vida a recoger y cuidar en su finca de Rute (Córdoba) a todo ejemplar maltratado que encuentra. Ex vendedor de lencería, es capaz ____1____ convencer a todo el que se acerca a su casa para que ____2____ a uno de estos animales. Asegura que los burros "hablan". A la entrada de la cuadra, en compañía de su mujer, nos ____3____ el *asnólogo*. Son casi las dos del mediodía y en Rute, en lo alto de la sierra cordobesa, a 90 kilómetros ____4____ la que fue ciudad de califas, epicentro del mundo, las calles están ____5____ desiertas. Una buena excusa, el calor, para empezar a conocer quién ____6____ , según muchos, este loco y estrafalario personaje.

Este buen hombre, ceremonioso, mientras nos sirve agua fresca nos va ____7____ en antecedentes. "El burro, pese a su mala fama, es un filósofo. Yo no he visto ____8____ un burro tonto". Y a juzgar por sus gustos, ____9____ razón. Aquello de que la miel no está hecha para la boca del asno no parece del ____10____ cierto. "¡Es falso!", salta Pascual. "Le gusta el turrón". Razones tendrá ____11____ hace un cuarto de siglo empezó a hablarles a los burros con la misma soltura que con la que se ____12____ habla a un vecino. "Si se lo ____13____ con cariño, nunca te fallan. Te devuelven las palabras con sabios rebuznos. Usan ____14____ veinte tonos diferentes, según ____15____ quieran transmitir, desde el rebuzno de amor al de hambre", se explaya el cordobés ____16____ acaricia la cabeza de Camilo, un simpático borrico de 17 años. ____17____ él pagó, hace doce años, un rescate de 40.000 pesetas. Camilo, casi ciego y desnutrido, ____18____ la mayor parte de su vida en una pestilente cuadra de Rubite, un pueblo de la Alpujarra, hasta que un vecino generoso dio la voz de ____19____ . Y ahí estaba para salvarlo Pascual, el "vicario de los asnos", como le llamaba su amigo Camilo José Cela. Aunque él, humildemente, prefiere que le traten de *asnólogo*. Que la palabra sea un invento, es ____20____ de menos. Salvar al burro, eso ha hecho Pascual, el hombre que más sabe de asnos en España.

Adaptado de *www.elmundo.es*, 09-10-2005

1.	**a)** a	**b)** para	**c)** de
2.	**a)** apadrine	**b)** apadrinará	**c)** apadrina
3.	**a)** acepta	**b)** recibe	**c)** admite
4.	**a)** desde	**b)** hasta	**c)** de
5.	**a)** parte	**b)** mitad	**c)** medio
6.	**a)** es	**b)** sería	**c)** sea
7.	**a)** poner	**b)** poniendo	**c)** puesto
8.	**a)** a veces	**b)** jamás	**c)** siempre
9.	**a)** trae	**b)** posee	**c)** lleva
10.	**a)** total	**b)** totalmente	**c)** todo
11.	**a)** quien	**b)** que	**c)** el cual
12.	**a)** le	**b)** lo	**c)** les
13.	**a)** dirás	**b)** digas	**c)** dices
14.	**a)** desde	**b)** hasta	**c)** alrededor
15.	**a)** lo cual	**b)** lo que	**c)** el que
16.	**a)** entonces	**b)** durante	**c)** mientras
17.	**a)** Por	**b)** Para	**c)** Con
18.	**a)** permanecía	**b)** había permanecido	**c)** ha permanecido
19.	**a)** inquietud	**b)** urgencia	**c)** alarma
20.	**a)** el	**b)** lo	**c)** la

SECCIÓN 2: Selección múltiple

Ejercicio 1

21. • ¿Has visto cómo está todo?
   • Sí, han llegado y lo han dejado todo **patas arriba**.

   a) ordenado
   b) del revés
   c) en desorden

22. • El trabajo en el campo obliga a trabajar **de sol a sol**.
   • Ya, es un trabajo muy duro.

   a) desde el amanecer hasta el anochecer
   b) todo el año
   c) desde la primavera hasta el verano

23. • ¿Me puede traer una jarra de agua **del tiempo**?
   • Ahora mismo.

   a) tibia
   b) a temperatura ambiente
   c) fresquita

24. • Yo creo que Ana está **jugando con fuego**.
   • Es verdad, debería tener más cuidado.

   a) siendo imprudente
   b) haciendo una hoguera
   c) muy cerca del fuego

25. • La situación está complicada.
   • Yo creo que tenemos que **romper el hielo**.

   a) retirar la nieve
   b) descongelar
   c) poner fin a la tensión

26. • Los incendios forestales están desertizando el país.
   • **Desde luego**, cada año van en aumento, además.

   a) Desde hace mucho
   b) Sin duda
   c) En consecuencia

27. • ¿Vamos a bañarnos al lago?
   • ¿Al lago? Pero si está **en el quinto pino**.

   a) muy lejos
   b) en medio del bosque
   c) a cinco kilómetros

28. • Hay que solucionar el asunto **sin rodeos**.
   • Tienes razón.

   a) sin espectáculos
   b) afrontando directamente las dificultades
   c) cuanto antes

29. ▪ ¿Recuerdas el caso de los vertidos tóxicos del Prestige?
    • Eso es **agua pasada**.

     a) un asunto poco claro
     b) un caso que ha perdido actualidad
     c) un tema que tiene mucho fondo

30. ▪ ¿No te recuerda Joaquín a Nacho?
    • Sí, los dos **tienen un aire**.

     a) tienen cierto parecido
     b) se mueven de forma parecida
     c) son orgullosos

Ejercicio 2

31. ▪ ¿Has visto qué seco y amarillento _____ el campo?
    • Claro, es que no llueve desde hace meses.

     a) es
     b) está

32. ▪ ¡Qué ramo de flores tan bonito!
    • Sí, _____ para Isabel. Hoy es su cumpleaños.

     a) es
     b) está

33. ▪ El agua de este manantial _____ un poco contaminada.
    • Sí, hay una fábrica ahí arriba.

     a) es
     b) está

34. ▪ Ha habido un pequeño temblor de tierra en Granada.
    • Afortunadamente solo _____ de un grado en la escala Richter.

     a) ha sido
     b) ha estado

35. ¿Qué tal la visita al zoo?
    • Muy bien. Los niños _____ muchísimo.

     a) disfrutaban
     b) disfrutaron

36. ▪ ¿Por qué llevaste al perro al veterinario?
    • Porque _____ de una pata.

     a) cojeaba
     b) cojeó

37. ▪ ¡Cómo ha cambiado este pueblo desde la última vez que vine!
    • Sí, han construido muchísimo _____ todas partes.

     a) por
     b) para

38. ▪ Si me enfadé, fue porque me preocupo _____ ti.
    • Sí, ya lo sé, debería haberte llamado.

     a) por
     b) para

39. • ¿Sabéis _____ de vosotros dónde venden pilas ecológicas?
• Hay una tienda a unos diez minutos de aquí.

   a) alguien
   b) alguno

40. • Tira la caja en _____ parte.
• Nada de eso. Buscaré un contenedor. ¿No sabes que es un material reciclable?

   a) cualquiera
   b) cualquier

41. • Si _____ a tirar una lata de refresco al suelo, no te compro ni una más.
• Lo siento, papi. Ahora mismo la cojo.

   a) volverías
   b) volverás
   c) vuelvas
   d) vuelves

42. • ¿Has visto qué bonita vista hay desde esta montaña?
• Sí, es mucho más espectacular de _____ me imaginaba.

   a) la cual
   b) la que
   c) lo cual
   d) lo que

43. • Perdone, ¿_____ decirme dónde están los folios de papel reciclado?
• Sí, en la sección de papelería, al final de este pasillo.

   a) pudiera
   b) pudo
   c) pueda
   d) podría

44. • El pueblo ha cambiado mucho, ¿verdad?
• Sí, _____ que llegó aquí el tren, ha crecido mucho.

   a) de
   b) desde
   c) en cuanto
   d) hasta

45. • Me parece muy mal que _____ los árboles para hacer plazas de aparcamiento.
• Sí, es una pena, no han dejado ni uno solo.

   a) hayan cortado
   b) hubieran cortado
   c) habían cortado
   d) han cortado

46. • No te engañes. Esa moto contamina tanto _____ la otra que tenías.
• ¿Tú crees?

   a) cuanto
   b) como
   c) que
   d) cuando

47. • ¿Viste ayer por la tarde a Lucas?
• Sí, _____ salir del trabajo, me encontré con él.

    a) en cuanto
    b) cuando
    c) tan pronto como
    d) nada más

48. • El incendio del parque natural ha sido una auténtica catástrofe.
• Sí. Nada de esto habría pasado si _____ el bosque de maleza y basura.

    a) habían limpiado
    b) hubieran limpiado
    c) habrían limpiado
    d) habrán limpiado

49. • La gente _____ que ser más responsable a la hora de comprar un perro.
• Es verdad. Luego crecen y los abandonan.

    a) habría
    b) debería
    c) podría
    d) tendría

50. • Ayer vi a Fernando. Sabes de qué Fernando te hablo, ¿no?
• Sí, aquel chico tan atractivo _____ hacía escalada.

    a) quien
    b) cual
    c) el que
    d) que

51. • ¿Hablaste ayer con David? ¿Viene a la reunión?
• Sí, me dijo que _____ hoy en casa de sus padres, pero que trataría de venir.

    a) comiera
    b) coma
    c) tenía que comer
    d) habría comido

52. • Si te gusta, ¿por qué no _____ pruebas? Es muy bonito.
• Porque no quiero llevar ese tipo de pieles.

    a) te lo
    b) se lo
    c) lo
    d) te la

53. • El Polo Norte se está derritiendo, _____ los osos se estén ahogando.
• Sí que es un problema.

    a) así que
    b) porque
    c) de ahí que
    d) de hecho

54. ▪ Mira qué remolinos hay _____ el agua y cómo se refleja la luna, parece un espejo.
    • Sí, es impresionante.

    a) sobre
    b) por
    c) dentro
    d) en

55. ▪ Me dijo que _____ yo el informe sobre la venta de artículos de piel.
    • ¡Vaya! Lo siento.

    a) haría
    b) hiciera
    c) tuviera que hacer
    d) tenga que hacer

56. ▪ Va a caer una tormenta de un momento a otro.
    • Sí, el cielo está encapotado, es mejor que esperemos hasta que _____.

    a) pasa
    b) pase
    c) pasará
    d) pasó

57. ▪ Sigue sin llover. Como no llueva, no sé qué _____ los animales.
    • Pues está claro que hierba, no.

    a) irán a comer
    b) van a comer
    c) coman
    d) vayan a comer

58. ▪ ¿Qué te parece si vamos a la exposición sobre la evolución _____ los primeros hombres hasta ahora?
    • Perfecto, porque tengo unas ganas de verla...

    a) con
    b) para
    c) por
    d) de

59. ▪ ¿Te has enterado de que _____ un nuevo coche que no necesita ningún producto relacionado con el petróleo para funcionar?
    • Sí, lo escuché ayer en las noticias.

    a) hayan fabricado
    b) han fabricado
    c) fabricaran
    d) fabricaban

60. ▪ ¿Por qué _____ tantas catástrofes naturales últimamente?
    • ¿Porque nos estamos cargando el planeta, quizás?

    a) habrá
    b) haya
    c) había
    d) hubiera

Anota el tiempo que has tardado:

Recuerda que solo dispones de **60 minutos**

PRUEBA 5

Expresión Oral

 **10-15** min Tiempo disponible de preparación

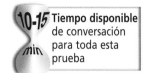 **10-15** min Tiempo disponible de conversación para toda esta prueba

Descripción de láminas

Elija una de estas historietas, descríbala y cuente lo que sucede.

HISTORIETA 1

Imagine que es el hombre o la mujer y qué le diría a su pareja:

" _____ "

HISTORIETA 2

Imagine que es uno de los chicos (él o ella) y qué le estaría diciendo al otro:

" _____ "

Temas para la exposición oral

Prepare un tema durante 10-15 minutos. Después preséntelo oralmente. Aquí tiene unas sugerencias: puede hablar de todos los puntos o elegir el / los que considere más interesante/-s.

TEMA 1:

CATÁSTROFES NATURALES

- ¿Por qué piensa que se están produciendo tantas catástrofes naturales en los últimos años: inundaciones, huracanes, sequía y desertización, tsunamis...? ¿Antes no ocurrían?
- ¿Cree que está en nuestras manos evitar este tipo de catástrofes?
- ¿Piensa que es más fácil que ocurra en unos países que en otros?
- ¿Las consecuencias son las mismas en todos los países?
- ¿Cree que la gente está interesada en este tipo de noticias?

TEMA 2:

ECOLOGÍA

- ¿Le preocupa la extinción de especies de animales?
- ¿Qué piensa de la edificación en o cerca de parques y reservas naturales?
- ¿Qué piensa de los experimentos con animales para cosméticos, medicinas, etc.?
- ¿Cuál es su opinión sobre los abrigos y otros artículos de piel?
- ¿Piensa que podríamos consumir menos energía?
- ¿Qué piensa de los tipos de energía que hay actualmente?
- ¿Qué piensa de los tipos de energía alternativa?
- ¿Cómo podemos contribuir al ahorro energético?

BANCA, ROPA Y VIVIENDA

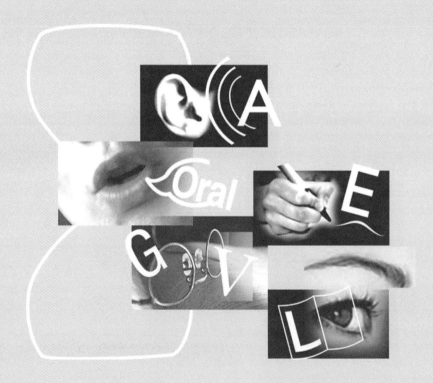

Recomendamos este libro para ampliar el vocabulario del español de España y variantes de México y Argentina.

Págs.: 34, 50, 132

VOCABULARIO

FICHA DE AYUDA
para la Expresión Escrita
y la Expresión Oral

CENTROS Y COMPRAS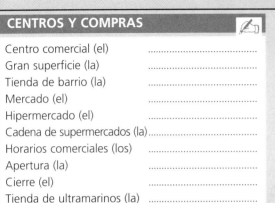

Centro comercial (el) ....
Gran superficie (la) ....
Tienda de barrio (la) ....
Mercado (el) ....
Hipermercado (el) ....
Cadena de supermercados (la).........................
Horarios comerciales (los) ....
Apertura (la) ....
Cierre (el) ....
Tienda de ultramarinos (la) ....

EL DINERO

Ahorro (el) ....
Ahorrar ....
Descuento (el) ....
Tener suelto ....
Tener cambio ....
Banco (el) ....
Entidad de crédito (la) ....
Dinero en circulación (el) ....
Billete (el) ....
Moneda (la) ....
Cajero automático (el) ....
Cheque (el) ....
Tarjeta de crédito (la) ....
Tarjeta de débito (la) ....
Subida de precios (la) ....
Bajada de precios (la) ....
Inflación (la) ....
Pagar a plazos ....
Pagar al contado ....
Pagar en efectivo
Pagar con tarjeta ....
Tarifas (las) ....

DOCUMENTOS Y COMPRAS

Calidad (la) ....
Etiqueta (la) ....
Recibo (el) ....
Comprobante (el) ....
Resguardo (el) ....
Factura (la) ....
Tique de compra (el) ....
Giro (el) ....
Transferencia (la) ....

SERVICIOS

Seguro (el) ....
Servicio posventa (el) ....
Garantía (la) ....
Embalaje (el) ....

EXPRESIONES RELATIVAS A LAS COMPRAS Y LOS NEGOCIOS

Estar por las nubes ....
Hacer el agosto ....
Tirar la casa por la ventana ....
Irse a pique ....
Ser un/a manirroto/a ....

LÉXICO Y EXPRESIONES RELACIONADAS CON LA ROPA

Llevar los pantalones ....
No dar la talla ....
Ir a cuerpo ....
Pinta (la) ....
Estar de moda ....
Estar pasado de moda ....
Ir a la última ....
Sacarse muy buen partido ....
A juego ....

...RACIONES ILEGALES

...e (el) ....
...o negro (el) ....
...ueo de dinero (el) ....
...uear dinero ....

...AJAS Y LIQUIDACIONES

...a (la) ....
...ento (el) ....
...as (las) ....
...ación (la) ....
... (el) ....
...o rebajado (el) ....
...o defectuoso (el).........................

ALOJAMIENTO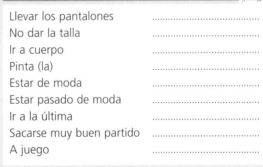

Piso (el) ....
Vivienda (la) ....
Interior ....
Exterior ....
Con vistas a ....
Dar a
Bien comunicado.........................
Céntrico ....
En las afueras ....
Chalé (el) ....
Mudanza (la) ....
Traslado (el) ....
Mudarse

Trasladarse ....
Decoración (la) ....
Alojarse ....
Agencia inmobiliaria (la) ....
Letras del piso (las) ....
Hipoteca (la) ....
Alquiler (el) ....
Portal (el) ....
Portero (el) ....
Comunidad
de vecinos (la) ....
Terraza (la) ....
Balcón (el) ....

PRUEBA 1  Comprensión Lectora

60 min Tiempo disponible para los cuatro textos

TEXTO 1

EL SECTOR TEXTIL NECESITA UN ZURCIDO*

Muchos trabajos penden de un hilo. Nunca ha sido más acertada esta frase para definir a este sector. Vemos camisetas, pantalones y vestidos a mitad de precio y no son las rebajas. Este es el futuro del sector textil español, que se enfrenta a su mayor reto en los últimos cuarenta años: la eliminación de las cuotas a la importación para los países de la Organización Mundial del Comercio, que acaba de entrar en vigor el pasado 1 de enero y que inundará el mercado europeo de productos a precios de saldo procedentes de países asiáticos, especialmente de China. El sector textil español tendrá que adoptar medidas para amoldarse a este nuevo escenario enormemente competitivo y contrarrestar el impacto, porque si no, podrían perderse unos 72.000 empleos hasta el año 2010.

Aunque el sector tiene conocimiento de la liberalización desde hace años, no ha sabido prepararse a tiempo para el nuevo reto que implica la eliminación de las cuotas arancelarias. Los empresarios del textil temen que la entrada masiva de confecciones procedentes de Asia inunde el mercado español y comunitario. China ha llegado a duplicar en solo dos años el volumen de exportaciones textiles a la Unión Europea. De seguir así, la potencia asiática pasará en los próximos años a controlar el 50% del mercado de prendas de vestir de Estados Unidos –frente al 16% de cuota actual– y el 29% en Europa –donde ahora controla el 18%.

Para el presidente de las organizaciones empresariales, España ha hecho esfuerzos por adaptarse al nuevo panorama, pero ha cometido el error de infravalorar el potencial chino y su espectacular capacidad de progreso, lo que ha creado gran inquietud en el sector. Una de las mayores preocupaciones es la posible adopción de medidas de tipo laboral, ya que afectará al empleo de zonas muy concretas dentro del territorio español. Si hay algo en lo que todos los agentes implicados coinciden es en que el textil español tiene que mejorar su competitividad y lanzarse a la conquista de nuevos mercados, lo que significa destinar tiempo y recursos para la investigación y el desarrollo de nuevas técnicas y productos.

Adaptado de *Tiempo de hoy*, 24-02-2005

*Zurcido: unión o costura de una tela rota. En el texto se trata de un uso metafórico.

PREGUNTAS

1. Según el texto, en el año 2010 podrían desaparecer 72.000 empleos.

a) Verdadero.
b) Falso.

2. En el texto se afirma que las exportaciones textiles de China a la Unión Europea han crecido un cincuenta por ciento en los dos últimos años.

a) Verdadero.
b) Falso.

3. En el texto se señala que el progreso del mercado chino ha sido subestimado en España.

a) Verdadero.
b) Falso.

TEXTO 2

LA CASA SALUDABLE

Factores sensoriales (ruidos, mobiliario, color...) y extrasensoriales (calidad del aire, agentes quími-cos,...) son determinantes: una casa enferma puede ser foco de múltiples dolencias para sus habi-tantes.

Según un estudio de la EPA (Agencia de Protección Ambiental Americana), los habitantes de los paí-ses desarrollados pasan el 80% de su tiempo encerrados en espacios interiores. En casa nos sentimos protegidos, ¿pero realmente estamos sanos y salvos? No. Según los expertos en calidad ambiental interior, detrás de muchas consultas al médico se encuentran factores de índole doméstica.

Lo más evidente es la luz. Una iluminación artificial inadecuada puede provocar cefaleas, problemas de concentración y hasta trastornos depresivos. Cuando no hay luz natural, se puede optar por la últi-ma tecnología. Las lámparas de espectro total producen una iluminación blanca y sin parpadeos que imita las características de la luz solar.

El color también es importante, ya que influye en la temperatura corporal y en nuestro estado aní-mico. A cada persona le afecta el color de diferente forma, pero hay ciertas generalidades, por ejem-plo, el amarillo es adecuado para los espacios de trabajo porque genera mayor actividad cerebral.

Otro factor es la contaminación acústica, que genera insomnio, somnolencia matutina, cansancio, mal humor, dolor de cabeza, estrés...

Para asegurarnos una atmósfera interior limpia, es importante una buena ventilación, pero para que sea efectiva hay que buscar corrientes cruzadas con el fin de que la renovación del aire sea comple-ta. También hay que tener en cuenta el sistema de climatización, puesto que la calefacción y el aire acondicionado, al modificar la calidad del aire que respiramos, son la causa de muchos de los pro-blemas de salud.

El cableado y los cajetines eléctricos son otra fuente de contaminación invisible dentro del hogar. Cuando la instalación es defectuosa puede afectar al sistema nervioso y produce cansancio crónico, cefaleas, insomnio, tensión muscular, alergias y crisis asmáticas.

Por último, hay que mencionar los productos de limpieza, ya que los vapores tóxicos que emanan de estos productos se traducen en irritaciones en los ojos, dermatitis y dolores de cabeza.

Adaptado de *Magazine elmundo.es*, 22-05-2005

PREGUNTAS

4. En el texto se dice que:

a) Muchas de las dolencias se deben a que pasamos mucho tiempo en espacios interiores.

b) Los problemas de salud se pueden producir por no tener la casa en adecuadas condiciones.

c) En casa se está fuera de peligro.

5. En el texto se informa de que:

a) Se puede conseguir luz natural cuando no la hay mediante las nuevas tecnologías.

b) El amarillo es más recomendable para tener más energía.

c) El ruido puede causar irritación.

6. En el texto se recomienda:

a) No usar productos de limpieza.

b) Tener la instalación eléctrica en perfecto estado.

c) Usar la corriente para airear.

TEXTO 3

ZARA ABRE TIENDA EN SHANGHAI Y PROFUNDIZA EN SU EXPANSIÓN ASIÁTICA

Rodeada de las principales marcas de lujo internacionales, frente al centro comercial más exclusivo de Shanghai y en una de las esquinas más caras de la ciudad, Zara inauguró ayer su primera tienda en China. Con esta presentación en sociedad, el grupo da un paso decisivo en su plan de expansión asiático, donde este año también prevé entrar en Corea y abrir, al menos, cuatro tiendas más en Japón. La empresa española ya está trabajando en dos nuevos locales que serán inaugurados a lo largo de este año: uno más en Shanghai y otro en Pekín. A ellos se sumarán otros en poco tiempo.

Zara se ha presentado como una marca de lujo, codeándose con Lancôme, Dior y Armani, entre otros, una estrategia que ya desarrolla desde hace algún tiempo en Asia y parte de Europa, con precios muy superiores a los que comercializa en España. Por ejemplo, un pantalón vaquero que en el mercado nacional se comercializa a 39,90 euros, en Shangai se vende por 499 yuanes (unos 50 euros). Teniendo en cuenta la diferencia salarial entre ambos mercados, Zara se sitúa en el rango alto de la gama. Esta estrategia es considerada como la adecuada por parte de Jorge Dajani, consejero jefe de la oficina comercial de España en Shanghai. "Aquí Zara es una marca de lujo y esta es la única forma de entrar en este mercado", comentó en una reunión con periodistas. Zara entra en un mercado plagado de multimillonarios con fuertes inclinaciones a la ropa de marca. El ser una marca prestigiosa asegura una nutrida clientela.

Desde la oficina comercial española, se considera que "era necesario que Zara estuviera ya aquí", ya que el mercado chino ofrece grandes oportunidades de negocio para las empresas que cuentan con una estrategia adecuada. No hay que olvidar un dato: las economías de las ciudades de la costa, entre las que se encuentra Shanghai, están creciendo a un ritmo anual de entre el 14% y el 15%. A ello hay que añadir que Shanghai se ha convertido en un escaparate para el resto de China y que cuando los turistas chinos (cada vez más numerosos) viajen a otros países, tendrán ya un conocimiento de la marca. Esto ofrece nuevas oportunidades de venta para tiendas Zara ubicadas en otras ciudades del mundo, aseguran los responsables españoles.

Adaptado de www.CincoDias.com, 24-02-2006

PREGUNTAS

7. En el texto se afirma que Zara:

a) Va a abrir tiendas en Corea dentro de un año.

b) Abrirá menos de cuatro tiendas en Japón.

c) Abrirá dos locales: uno en Shanghai y otro en Pekín.

8. Según el texto, la estrategia de Zara consiste en:

a) Entrar en el mercado de una clase con gran poder adquisitivo.

b) Adaptar los precios al salario de los países asiáticos.

c) Comercializar sus productos en Asia de la misma forma que en Europa.

9. En el texto se afirma que la presencia de Zara en Shanghai ofrece ventajas porque:

a) Contribuye al crecimiento de la economía en las ciudades costeras.

b) Es una ciudad representativa del país.

c) Los turistas darán a conocer la marca cuando viajen a otros países.

TEXTO 4
EL PALACIO

A la mañana siguiente, Isabel se despertó sobresaltada por el sonido de unos martillazos. Al asomarse al patio supo el motivo, carpinteros, albañiles y herreros trabajaban a destajo para finalizar las obras inacabadas de su palacio. El sobrio clasicismo de la piedra blanca del exterior se rompía por los ornamentos barrocos e hindúes que cincelaban en puertas, ventanas y capiteles, los últimos de un corintio tan recargado que superaba en mucho a la lujuriosa vegetación circundante.

Al observar todo aquello, agradeció al padre Lobo que no le hubiese descrito del todo su hermosura. ¡Hubiese sido tan difícil! Nada tenía que ver con aquella choza macabra en la que, según el jesuita, se había criado Jerónimo junto a su padre los dos primeros años de su vida. La riqueza embriagaba. Las esencias de perfumes y especias se habían impregnado en sus muros. La piedra clara de la fachada mantenía el frescor en su interior mejor que el adobe utilizado en la mayoría de las casas de Mombasa.

Estaba tan entusiasmada que, sin esperar a que se lo mostrase Jerónimo, recorrió todos y cada uno de los recovecos del palacio. ¡Era tan opuesto a la austeridad que había imaginado en un principio! Alfombras de piel de leopardo, león o cebra cubrían los suelos, y las sedas de Persia y la India hacían lo propio en los vanos con sus colgaduras.

Tenían estancias para el recogimiento particular, cocinas, baños y un salón del trono para las audiencias. Afuera otras dependencias separadas cobijaban a la guardia y la servidumbre. En el jardín había un hermoso cenador desde el cual se dominaba casi toda la isla. Estaba cuajado de claveles, hibiscos, jazmines, buganvillas, mangos y un sinfín de plantas exóticas sin bautizar aún.

Correteaba Isabel investigando cada recodo del palacio cuando chocó con el rey.

Adaptado de *La esclava de marfil*, Almudena de Arteaga, MR-Ediciones, 2005

PREGUNTAS

10. En el texto se dice que:

a) El palacio era sobrio.

b) Isabel pensaba que era fácil describir la belleza del palacio.

c) Jerónimo había crecido en un lugar muy diferente al palacio.

11. Según el texto:

a) Hacía frío en el palacio por la piedra que se había usado en la construcción.

b) Isabel fue por todos los rincones del palacio.

c) En algunas estancias del palacio se podía ver el lujo.

12. En el texto se dice que:

a) El palacio constaba de varios edificios.

b) El servicio vivía en el edificio principal.

c) Desde el palacio se veía toda la isla.

Anota el tiempo que has tardado:

Recuerda que solo dispones de **60 minutos**

PRUEBA 2 — Expresión Escrita

PARTE Nº 1. Carta personal

Tiempo disponible para escribir los dos textos, primero en borrador y luego en la hoja de respuesta a limpio

OPCIÓN 1

Usted está pensando en cambiar de vida, vender su casa en la ciudad y marcharse a vivir a un pueblo pequeño. Escriba una carta a un amigo en la que deberá:

- Saludarlo
- Comunicarle sus planes.
- Explicarle los motivos.
- Expresar ciertas dudas y pedirle opinión.
- Invitarlo y despedirse.

OPCIÓN 2

Usted ha decidido escribir a una empresa de mudanzas para pedir información sobre su traslado de la ciudad al campo. En la carta deberá:

- Explicar el motivo por el que escribe.
- Precisar datos del traslado y preguntar condiciones.
- Preguntar por la forma de traslado de dos objetos especiales o delicados.
- Despedirse.

PARTE Nº 2. Redacción

OPCIÓN 1

Todos nos acordamos de alguna prenda de ropa, algún accesorio o joya, algún objeto de la casa, que nos trae un recuerdo especial. Escriba una redacción en la que:

- Describa el objeto o prenda.
- Explique cómo lo consiguió.
- Cuente por qué es o era especial para usted.
- Explique los sentimientos que le produce recordarlo.

OPCIÓN 2

"Los centros comerciales se han convertido en las nuevas catedrales de ocio". Elabore un escrito en el que:

- Dé argumentos a favor o en contra de esta afirmación.
- Exprese su opinión.
- Proporcione algún ejemplo que la justifique.
- Elabore una breve conclusión.

Sugerencias para las cartas

Recuerde que debe incluir la fecha, el lugar, el destinatario, el remitente, el encabezamiento formal y, al final, la línea de despedida. En el cuerpo de la carta puede ayudarse de los siguientes modelos:

OPCIÓN 1

COMUNICAR DECISIÓN

- ☐ Estoy pensando (en)…
- ☐ Me estoy planteando…
- ☐ Estoy dándole vueltas a la idea de…

… irme/ marcharme/ trasladarme a vivir a un pueblo

ESPRESAR DUDAS

- ☐ No sé si hago bien…
- ☐ Tengo algunas dudas…
- ☐ No estoy del todo convencido…
- ☐ No sé si es una decisión acertada…
- ☐ Puedo estar equivocado / equivocarme
- ☐ Es posible / puede que / quizás me equivoque…

EXPLICAR MOTIVOS

- ☐ porque / debido a (que)…
- ☐ estoy cansado de… / estoy harto de…
  - los atascos
  - el ruido
  - el coche
  - las distancias
  - la contaminación
  - la deshumanización
- ☐ porque / debido a que quiero / prefiero…
  - una vida más tranquila
  - tener mejor calidad de vida
  - vivir en contacto con la naturaleza
  - un lugar donde la gente se conozca

PEDIR OPINIÓN

- ☐ ¿Tú qué piensas / opinas?
- ☐ ¿A ti qué te parece?
- ☐ ¿Crees que hago bien?
- ☐ ¿Te parece una locura?
- ☐ ¿Crees que me estoy equivocando?
- ☐ Dime qué piensas.

OPCIÓN 2

EXPLICAR EL MOTIVO DE LA CARTA

- ☐ Les escribo para pedirles información sobre mudanzas.
- ☐ El motivo de mi carta es que me den / me proporcionen información sobre un traslado / una mudanza de casa.
- ☐ Les escribo para pedirles un presupuesto de traslado/mudanza de casa.

PRECISAR DATOS DEL TRASLADO

- ☐ Me vendría bien (llevarlo a cabo) los primeros días de junio.
- ☐ Tenía pensado realizar el traslado la primera semana de junio.
- ☐ Necesito hacer la mudanza entre los días 4 y 7 de junio.
- La fecha en la que tengo que dejar mi casa actual es el 7 de junio.

PREGUNTAR CONDICIONES

- ☐ Quisiera saber…
- ☐ Me gustaría que me explicaran…
- ☐ Quería que me detallaran…
- ☐ Quisiera preguntarles por…

las condiciones del traslado:

  - la duración
  - la forma de embalaje y desembalaje
  - si necesito empaquetar / guardar algo
  - el precio
  - si hay / tienen un seguro incluido o si tengo que contratarlo aparte…

TRASLADOS ESPECIALES

- ☐ Quería, también / además, consultarles sobre traslados especiales: tengo…
  - una vajilla antigua
  - una escultura de cerámica muy valiosa
  - una cristalería de Bohemia…
- ☐ Me gustaría que me informaran sobre el modo de embalaje y traslado, sobre las tarifas y seguros…
- ☐ Me gustaría que me dieran garantías de que estos objetos llegarán en perfecto estado.

Anota el tiempo que has tardado:

Recuerda que solo dispones de **60 minutos**

PRUEBA 3  Comprensión Auditiva

 **30** **Tiempo**
min **aproximado**
para los
cuatro textos

 **CD Audio**
Pista 25

TEXTO 1

EL FUERTE AUMENTO DE PRECIOS DE LA CANASTA NAVIDEÑA

PREGUNTAS

1. Según el texto, los precios de la canasta navideña aumentaron un 25 por ciento de media durante el mes de noviembre.

a) Verdadero.
b) Falso.

2. En la grabación se dice que, entre los productos navideños, subieron menos las bebidas que los dulces.

a) Verdadero.
b) Falso.

3. Según la audición, hay mucha dispersión de precios entre las distintas marcas de los mismos productos navideños.

a) Verdadero.
b) Falso.

CD Audio
Pista 26

TEXTO 2

LAS REBAJAS

PREGUNTAS

4. Según la audición:

a) Las rebajas constituyen una buena ocasión para las compras de Navidad y Reyes.
b) Los establecimientos deben elaborar una lista de los artículos rebajados.
c) Solo se pueden rebajar los artículos que ya estaban en las tiendas antes de las rebajas.

5. En la grabación se recomienda:

a) Comprobar que se ha cambiado el precio antiguo por el nuevo.
b) Conservar el recibo de los artículos rebajados.
c) No pagar con tarjeta de crédito para facilitar un posible cambio.

6. Según la grabación:

a) El establecimiento debe asumir el recargo del banco por el pago con tarjeta.
b) En los saldos y liquidaciones los productos a la venta están defectuosos.
c) En las rebajas se ofrecen productos a menor precio de la nueva temporada.

CD Audio
Pista 27

TEXTO 3

ESPAÑA, PARAÍSO DE LOS BILLETES DE 500 EUROS

PREGUNTAS

7. En la grabación se dice que los billetes de 500 euros:

a) Suponen el 58,8% de todos los billetes y monedas actualmente en circulación.
b) Han alcanzado el número de 88 millones de unidades el pasado otoño.
c) Han multiplicado por siete su valor desde la aparición del euro en 2002.

8. Según la grabación:

a) El aumento de billetes de 500 euros puede estar relacionado con la economía sumergida.
b) El elevado aumento de euros en billetes ha causado cierta controversia.
c) Los expertos utilizan los billetes de 500 euros para legalizar el dinero negro.

9. Según la audición:

a) Un responsable de la policía judicial considera escandalosa la polémica generada en torno a los billetes de 500 euros.
b) En la Casa de la Moneda se considera una locura la emisión de tantos billetes de 500 euros.
c) El Banco de España atribuye este aumento de billetes a la gran demanda por parte de sus clientes.

CD Audio
Pista 28

TEXTO 4

PURIFICACIÓN GARCÍA LANZA UN PERFUME

PREGUNTAS

10. Según la grabación:

a) Purificación García es la primera persona de la moda española que lanza su propio perfume.
b) Este perfume está pensado para una mujer femenina que busca una gran comodidad.
c) Este perfume está pensado para una mujer trabajadora con deseos de superación.

11. Según la audición:

a) La moda y el perfume que usa la mujer deben estar muy relacionados.
b) El perfume que usamos condiciona nuestra forma de ser, pensar y vivir.
c) La ropa y el perfume que usamos ofrece información de nosotros mismos.

12. En el texto se dice que la firma de la diseñadora:

a) Lleva mucho tiempo investigando en muebles, ropa de casa y decoración.
b) Quiere aplicar ahora su estética a los objetos y espacios que rodean a las personas.
c) Ha aumentado la calidad de su moda y complementos para llegar a todo el mundo.

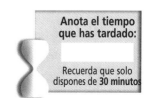

Anota el tiempo que has tardado:

Recuerda que solo dispones de **30 minutos**

PRUEBA 4  Gramática y Vocabulario

60 min Tiempo disponible para hacer todos los ejercicios de la sección 1 y 2

SECCIÓN 1: Texto incompleto
LÁMPARAS CON UN TOQUE PERSONAL

La iluminación en un ____1____ es algo fundamental. La colocación de puntos de luz ____2____ lugares estratégicos va a ser crucial para generar unos determinados ambientes. Pero además de influir directamente en la ubicación y el tipo de la luz, también se puede actuar sobre ella ____3____ divertidos trabajos como puede ser el de ____4____ el toque personal a la pantalla de una lámpara que se encuentre en el dormitorio, en el salón o en cualquier otra ____5____ de la casa.

Como en todo trabajo que se afronta ____6____ primera vez, es aconsejable optar por retos sencillos con el fin de ir adquiriendo experiencia y práctica en el diseño que se ____7____ plasmar en la pantalla de la lámpara. Las formas geométricas, las líneas sencillas y la combinación de tres o cuatro colores puede ser la mejor opción ____8____ introducirse en esta nueva manualidad.

____9____ vez que se tiene el diseño preparado en un papel, se plasma en la propia pantalla. Cuando se ____10____ dibujando con un lápiz las líneas es importante no marcar muy fuerte los trazos, sobre todo porque la pantalla de la lámpara se podría acabar ____11____.

Antes de ____12____ el paso de colorear es preciso contar ____13____ las pinturas más apropiadas. En este caso se ____14____ lápices de pintura al óleo, que son muy sencillos de aplicar y son muy recomendables para ____15____ trabajos en los que se necesitan cubrir importantes superficies.

Cuando ____16____ aplicado el color de base y este permanezca aún fresco, es preciso que la pintura al óleo ____17____ en la tela de la pantalla. Para ello se frotará circularmente con un cepillo de dientes que esté limpio y seco. Ha de tener en cuenta que deberá utilizar uno para cada color de base que haya empleado.

Tras cepillar toda la superficie, el siguiente paso es ____18____ la pintura que no ____19____ de penetrar con papel de cocina, pero con cuidado de no restregar la pantalla de lámpara. Esto debe hacerse dando pequeños golpes secos con el papel sobre la tela, porque de lo contrario se pueden acabar emborronando y mezclando unos colores con otros.

Posteriormente hay que dejar secar la pintura base ____20____ al menos doce horas.

Adaptado de *www.bricocanal.com*

1.	**a)** casa	**b)** hogar	**c)** vivienda
2.	**a)** por	**b)** con	**c)** en
3.	**a)** fabricando	**b)** produciendo	**c)** realizando
4.	**a)** dar	**b)** da	**c)** dé
5.	**a)** estancia	**b)** vivienda	**c)** habitáculo
6.	**a)** por	**b)** a	**c)** en
7.	**a)** quería	**b)** quisiera	**c)** quiere
8.	**a)** por	**b)** para	**c)** a
9.	**a)** Alguna	**b)** Una	**c)** Cada
10.	**a)** sea	**b)** esté	**c)** es
11.	**a)** rompiendo	**b)** romper	**c)** roto
12.	**a)** dar	**b)** da	**c)** dé
13.	**a)** por	**b)** de	**c)** con
14.	**a)** utilizarán	**b)** utilizarían	**c)** utiliza
15.	**a)** llevar a cabo	**b)** producir	**c)** encomendar
16.	**a)** tiene	**b)** tenga	**c)** haya tenido
17.	**a)** penetre	**b)** penetra	**c)** penetrará
18.	**a)** retira	**b)** retire	**c)** retirar
19.	**a)** acabará	**b)** haya acabado	**c)** acabara
20.	**a)** por	**b)** durante	**c)** para

SECCIÓN 2: Selección múltiple

Ejercicio 1

21.
- ¿Has visto qué precios?
- Sí, **están por las nubes.**

   a) son carísimos
   b) están fuera de la realidad
   c) están muy baratos

22.
- ¿Viste ayer a María?
- Sí, y **vaya pinta llevaba**.

   a) iba muy pintada
   b) no iba bien arreglada
   c) iba borracha

23.
- En mi casa mi mujer es la que **lleva los pantalones**.
- ¡No me digas!

   a) la que manda
   b) usa siempre pantalones
   c) lleva ropa masculina

24.
- ¿Qué tiempo hace?
- Está para **ir a cuerpo**.

   a) ir bien abrigado
   b) ir en camiseta de tirantes
   c) ir sin ropa de abrigo

25.
- ¿Qué le parece el Sr. Gómez para este puesto?
- Creo que **no da la talla**.

   a) no lleva la ropa adecuada
   b) lleva ropa demasiado estrecha
   c) no reúne las cualidades necesarias.

26.
- Creo que con este nuevo cliente podremos **llegar a fin de mes**.
- Eso espero.

   a) ganar mucho dinero
   b) tener dinero para todo el mes
   c) tener dinero de sobra para todo el mes

27.
- ¿Ya habéis pensado cómo vais a hacer la fiesta?
- Sí, vamos a **tirar la casa por la ventana**.

   a) no reparar en gastos
   b) cambiar el orden de toda la casa
   c) vaciar toda la casa

28.
- ¿Qué tal les va a tus amigos con la tienda que montaron?
- No te lo vas a creer: **se han ido a pique**.

   a) han ganado muchísimo dinero
   b) se han arruinado
   c) se han trasladado a otro lugar

29. ▪ ¿Te parece guapa Maite?
• Creo que sabe **sacarse muy buen partido**.

    a) atraer a los hombres
    b) maquillarse muy bien
    c) aprovechar sus cualidades

30. ▪ Me encanta cómo viste Lucía.
• Y a mí..., siempre lleva toda la ropa **a juego**.

    a) divertida
    b) conjuntada
    c) con gracia

Ejercicio 2

31. ▪ ¡Ya _____ en primavera!
• Sí, el tiempo pasa volando.

    a) es
    b) estamos

32. ▪ ¿ _____ listo?
• Cuando quieras.

    a) Es
    b) Estás

33. ▪ ¿Qué te pasa?, ¿_____ cansada?
• No lo sé, pero no me encuentro bien.

    a) es
    b) estás

34. ▪ ¡Mira! ¡Qué guapa!
• Carolina siempre _____ guapa.

    a) es
    b) está

35. ▪ El año pasado viajaste por el Amazonas, ¿no?
• Sí, _____ un viaje increíble.

    a) fue
    b) era

36. ▪ ¿Cuándo _____ la última vez que escribiste un correo electrónico?
• Ayer.

    a) fue
    b) era

37. ▪ _____ mí, eso no es importante.
• ¿No?

    a) Para
    b) Por

38. ▪ ¿Por qué no lo envías _____ correo electrónico?
• ¿Tú crees?

    a) para
    b) por

39.
- ¡Tengo un hambre! No he comido _____ en todo el día.
- ¿No?

    a) algo
    b) nada

40.
- ¿_____ de vosotros sabe algo de Gabriel?
- No.

    a) Alguien
    b) Alguno

41.
- Si no gastaras tanto dinero siempre, ahora _____ comprarte el coche.
- Ya, ya lo sé.

    a) puedes
    b) podrás
    c) podrías
    d) puedas

42.
- ¿Cuánto tardarán _____ traernos a casa el sofá?
- Una semana como máximo.

    a) para
    b) por
    c) a
    d) en

43.
- Disculpe. ¿Me permite que le _____ unas preguntas?
- Sí, dígame.

    a) hago
    b) haré
    c) haga
    d) hiciera

44.
- ¿Qué te parece si nos _____ por esa tienda?
- ¡Fantástico! Tienen unas ofertas estupendas.

    a) pasamos
    b) pasaremos
    c) pasemos
    d) pasaríamos

45.
- ¿Qué jersey le compramos a Lorena? ¿El verde o el amarillo?
- Los dos son muy bonitos. Coge _____ quieras.

    a) lo que
    b) el cual
    c) cuyo
    d) el que

46.
- Me he dado cuenta de que mi coche _____ mucha gasolina.
- ¿Sí? Deberías llevarlo al taller.

    a) consume
    b) consuma
    c) consumirá
    d) haya consumido

47.
  - Pepe es un manirroto.
  - Sí, se gasta todo el dinero _____ tonterías.

    a) con
    b) en
    c) por
    d) para

48.
  - ¡Qué zapatos tan bonitos!
  - Pues cuando _____ las rebajas, seguro que valen la mitad.

    a) empezarán
    b) empiezan
    c) empiecen
    d) empezaran

49.
  - ¿Qué te pasa?
  - Que no encuentro _____ libro para hacer el trabajo de Química.

    a) algún
    b) alguno
    c) ningún
    d) ninguno

50.
  - ¡Qué cuadro tan bonito! Es el mejor de toda la galería.
  - Desde luego, pero no creo que _____ permitirnos ese gasto.

    a) podríamos
    b) podamos
    c) podremos
    d) podemos

51.
  - Podemos comprar el coche al contado, _____ prefieras destinar ese dinero a otra cosa.
  - No sé, déjame pensarlo.

    a) como
    b) mientras
    c) con tal de que
    d) a no ser que

52.
  - _____ no me digas la verdad, no te volveré a hablar.
  - Vale, vale, te lo contaré todo.

    a) Si
    b) Cuando
    c) Como
    d) Porque

53.
  - Rosa siempre viste a la última.
  - Sí, es verdad. _____ ve un conjunto nuevo, allí está para comprarlo.

    a) Como
    b) Porque
    c) En cuanto
    d) Mientras que

54. • ¿Tienen buenos descuentos en el nuevo hipermercado?
• No estoy segura, pero aunque los _____, es una tienda carísima.

    a) tendrán
    b) tendrían
    c) tienen
    d) tengan

55. • Es lógico que _____ mucho tráfico por aquí.
• Sí, claro. Estamos en el centro comercial de la ciudad.

    a) haya
    b) hay
    c) habrá
    d) habría

56. • Esta niña es una caprichosa. Siempre está pidiendo.
• Sí, no se conforma _____ nada.

    a) con
    b) de
    c) por
    d) para

57. • El coche que vimos ayer es precioso, ¿verdad?
• Sí, pero es más caro _____ pensaba.

    a) del que
    b) de lo que
    c) de que
    d) del cual

58. • ¿Qué compro? ¿La corbata o la camisa?
• Yo que tú, _____ la camisa. Tienes corbatas de sobra.

    a) comprara
    b) compraré
    c) compre
    d) compraría

59. • Esa es la tarjeta de crédito _____ tiene más comisiones.
• Sí, pero la admiten en casi todos los países.

    a) que
    b) la que
    c) cual
    d) la cual

60. • Carlos no pudo venir a la cena. Si _____, lo habríamos pasado fenomenal, porque es muy divertido.
• Sí. ¡Qué pena!

    a) viniera
    b) vendría
    c) habría venido
    d) hubiera venido

Anota el tiempo que has tardado:

Recuerda que solo dispones de **60 minutos**

Preparación Diploma de Español (Nivel Intermedio)

PRUEBA 5  Expresión Oral

 Tiempo disponible de preparación

 Tiempo disponible de conversación para toda esta prueba

Descripción de láminas

Elija una de estas historietas, descríbala y cuente lo que sucede.

HISTORIETA 1

Imagine que es la mujer y qué le diría al señor:

" _____ "

HISTORIETA 2

Imagine que es el hombre de la agencia y qué diría:

" _____ "

Temas para la exposición oral

Prepare un tema durante 10-15 minutos. Después preséntelo oralmente. Aquí tiene unas sugerencias: puede hablar de todos los puntos o elegir el / los que considere más interesante/-s.

TEMA 1:

LA CIUDAD Y EL CAMPO

- Ventajas e inconvenientes de vivir en las ciudades grandes o pequeñas y en el campo. ¿Usted qué prefiere?
- Si vive en el mismo lugar donde nació:
  - Descríbalo.
  - Comente por qué no ha cambiado de lugar.
  - Diga si le gustaría vivir en otro lugar: ¿dónde?
- Si no vive donde nació:
  - Describa el lugar en el que nació y el lugar en el que vive ahora.
  - Explique por qué cambió de lugar.
  - Cuente si le gusta vivir ahí o le gustaría vivir en otro lugar.
- Según su punto de vista, ¿cuál sería el lugar ideal para vivir?
- Para vivir con animales:
  - ¿Es mejor la ciudad o el campo?
  - ¿Qué tipo de animales se debe tener o no tener en casa?
  - ¿Qué piensa de tener animales exóticos?

TEMA 2:

BUSCAR PISO

- ¿Le resulta fácil buscar piso? ¿Es igual en España y en su país?
- ¿Cuáles son los mayores problemas que se puede encontrar alguien al buscar piso?
- ¿Qué posibilidades de alojamiento tiene un estudiante? ¿Cuál prefiere?
- ¿Qué medios son mejores para buscar piso: carteles en la calle, Internet, periódicos, ...?
- ¿Qué características le pide a un piso? ¿Son las mismas para alquilar que para comprar?
- ¿Qué facilidades o dificultades tienen los jóvenes para encontrar piso?

PAUTAS PARA LOS EXÁMENES

Esta prueba consta de cuatro textos, cada uno de ellos acompañado de tres preguntas. Las preguntas del primer texto presentan solo dos opciones: **verdadero / falso**. Los tres textos restantes contienen preguntas de tres opciones: *a*, *b* y *c*. El cuarto texto es siempre un fragmento de una obra literaria. Los tres primeros pueden ser de tipo expositivo, argumentativo o divulgativo.

Es de vital importancia que respondas atendiendo exclusivamente al contenido del texto. En otras palabras, no te examinan de tu conocimiento del mundo, ni te piden que saques conclusiones. Las preguntas miden la comprensión global del texto en cuestión. Por tanto, elige la respuesta teniendo en cuenta solamente lo que se dice en el texto.

Estas son las instrucciones que aparecen en la Prueba 1 que se encuentra en el primer cuadernillo:

INSTRUCCIONES

A continuación encontrará usted cuatro textos y una serie de preguntas relativas a cada uno de ellos.

Hay dos modalidades de pregunta:

Primer tipo:

  a) Verdadero.

  b) Falso.

Segundo tipo. Selección de una respuesta entre tres opciones:

  a) ...

  b) ...

  c) ...

Marque la opción correcta en la **Hoja de Respuestas número 1**.

Selección de dos textos modelo con posibles preguntas comentadas:

TEXTO 1

¿QUIÉN CONTROLA INTERNET?

Internet es lo más parecido al salvaje oeste. Nadie, absolutamente nadie ha podido resolver la ecuación que daría con una fórmula infalible para el control efectivo de Internet. La Cumbre sobre la Sociedad de la Información ha reabierto el debate sobre el gobierno de la red y sobre una futura descentralización de la gestión de la red. Naciones Unidas y la Unión Europea defienden un gobierno de Internet más multilateral, mientras que Estados Unidos apuesta por el mantenimiento del *statu quo*, es decir, el predominio de la Internet Corporation for Assigned Names and Numbers (Icann), sociedad norteamericana encargada de atribuir los nombres de dominios y de direcciones como ".com", ".org" o ".es", por los que se regula el tráfico de la red. Ahora bien, ¿qué papel cumple exactamente la Icann? ¿Cuál es su influencia en nuestro día a día?

El trabajo de la Icann se podría comparar con el de un cartero virtual que entrega en milésimas de segundo un correo a través de una red, que a su vez se conecta con otras muchas redes, las cuales, finalmente, configuran el entramado que llamamos Internet. Al igual que los carteros que todos conocemos, el trabajo de la agencia Icann es burocrático, puramente distributivo, y esta institución carece de control alguno sobre los contenidos de la red. La Icann es, en realidad, un consorcio en el que participan representantes de prácticamente todos los países del mundo que, eso sí, están sujetos al control y las leyes comerciales de Estados Unidos.

El desarrollo de Internet ha obligado a la Icann a delegar su poder. En España, por ejemplo, existen empresas que conceden los nombres de los dominios, pero estas deben contar con el visto bueno de la Icann.

Aparte de estas cuestiones técnicas, el debate, o mejor, la polémica, se ha suscitado por el vacío legal que ha creado Internet para algunos delitos, tales como el terrorismo o la pederastia, entre otros muchos. La pregunta aparece inmediatamente: ¿Pueden los gobiernos establecer un control efectivo de la red dentro de sus fronteras? ¿Se coartaría la libertad? ¿Hace falta más coordinación entre cuerpos de policía especializados? El debate está servido.

Adaptado de *ABC*, 21-11-2005

PREGUNTAS

1. En el texto se afirma que las Naciones Unidas y la Unión Europea han reanudado el debate sobre el gobierno de la red.

a) Verdadero.
b) Falso.

2. En el texto se afirma que la Icann tiene algún control sobre los contenidos de la red.

a) Verdadero.
b) Falso.

3. Según el texto, faltan leyes para controlar los contenidos de la red.

a) Verdadero.
b) Falso.

PISTAS

En la pregunta 1, la frase del enunciado es correcta, pero los sujetos a los que se atribuye son falsos: *La Cumbre sobre la Sociedad de la Información ha reabierto el debate sobre el gobierno de la red. Naciones Unidas y la Unión Europea defienden un gobierno de Internet más multilateral.* Como puedes ver, el enunciado de la pregunta combina dos informaciones presentes en el texto, intercambiando los sujetos. Atención, por tanto, a lo siguiente: **no toda la información del enunciado tiene por qué ser falsa. Basta con que lo sea tan solo una parte**.

La opción incorrecta puede presentar similitudes, tan solo aparentes, que nos hagan pensar que es verdadera. Este es el caso de la pregunta 2: *Algún control* no equivale a *control alguno.* Aquí el error se basa en una cuestión gramatical: *algún control* tiene un carácter afirmativo, equivalente a *un poco de.* En cambio, *control alguno* posee significado negativo, igual a *ningún control.*

El enunciado de la pregunta no tiene por qué contener idénticas palabras a las expresadas en el texto. Es lo que observamos en la pregunta 3. En ella, se parafrasea *vacío legal que ha creado Internet: faltan leyes para controlar los contenidos de la red.* **El enunciado puede presentar, por tanto, palabras sinónimas a las que se citan en el texto u oraciones que las parafrasean**.

Recuerde que las opciones incorrectas pueden serlo por diversos motivos.

TEXTO 4

CLARA Y MAX

Clara ha aprendido palabras nuevas, piensa Max; después, se avergüenza, porque no tiene ni idea de cuáles eran los conocimientos de Clara antes de empezar a leer las carátulas de los discos del abuelo. A lo mejor, Clara tiene un hermano que estudia en el conservatorio. A lo mejor, Clara acabó COU o es una filóloga en paro. Max no lo sabe, aunque lleva viéndola desde hace diez años. Su abuela quería mucho a Clara, su abuelo también. Por su parte, la información sobre Max de la que pueda disponer Clara ha salido de boca de los abuelos. Mucha y extraña información. Quizás Clara esté al tanto de que él se llama Max, Maximiliano, por *Jezabel*, aquella película de Bette Davis en México. Tal vez, él debería contarle las cosas como son. Por ejemplo, podría contarle que llama a su madre Mrs. Robinson. No es fácil sobrellevar el peso de que una madre sea Mrs. Robinson. Max ignora lo que Clara sabe de él, pero se avergüenza de no haberle dicho nada. Como si fuera un mueble. Sin embargo, Max no suele contarle nada a nadie, más bien escucha a su manera; así que no entiende por qué se compunge al permanecer callado con Clara. Ella abre el balcón:

–Voy a regar las plantas.

–Clara, ¿tú sabes que yo también soy músico?

–¿También?

–Bueno, también, no, quiero decir que como estabas hablando de sopranos...

–Tú no cantas.

–No, no canto.

–Pues sí, sí lo sabía, ¿cómo no lo voy a saber?

Clara no espera respuesta. Max se ha olvidado por completo de cómo empezó la conversación y se concentra exclusivamente en Clara. Le inspira mucha ternura esta chica. Le da lástima y se siente miserable por su lástima, por la certeza de que es superior y de que cualquier pretensión de igualarse en una conversación como la que ahora mismo mantienen, sería una impostura.

Susana y los viejos, Marta Sanz, Ed. Destino, Barcelona, 2006

PREGUNTAS

10. Max:

   a) No sabe nada de la vida de Clara.

   b) Acaba de conocer a Clara.

   c) Conoce los sentimientos de sus abuelos por Clara.

11. Según el texto:

   a) A Max le pusieron ese nombre por una película.

   b) Max sabe lo que sus abuelos le han contado a Clara sobre él.

   c) Max es muy hablador.

12. En el texto se dice que Max:

   a) Es tierno con Clara.

   b) Siente pena por Clara.

   c) Considera a Clara su igual.

PISTAS

En la pregunta 10, la opción **a** es incorrecta porque, si bien en el texto se nos dice que Max ignora cosas de la vida de Clara –*no tiene ni idea de cuáles eran los conocimientos de Clara; A lo mejor Clara tiene un hermano...; A lo mejor Clara acabó COU...*– eso no significa *no sabe **nada** de la vida de Clara*. La opción **b** tampoco es correcta, ya que el hecho de desconocer datos de la vida de una persona puede deberse a que acabamos de conocerla, pero no tiene por qué ser necesariamente así. Solo la opción **c** refleja lo expresado en el texto: *Su abuela quería mucho a Clara, su abuelo también*.

En la pregunta 11, solo la respuesta **a** reproduce lo que se dice en el texto: *Quizás Clara esté al tanto de que él se llama Max Maximiliano por Jezabel, aquella película de Bette Davis en México*. La opción **b** resulta engañosa, ya que la frase *Quizás Clara esté al tanto...* impide afirmar que *Max **sabe** lo que sus abuelos le han contado a Clara sobre él*. La opción **c** es claramente opuesta a la información siguiente: *Sin embargo, Max no suele contarle nada a nadie*.

La pregunta 12 plantea dos opciones incorrectas en la misma línea que la 11. La opción **a**, que puede parecer correcta a primera vista, no lo es si atendemos al contenido del texto: *Le inspira mucha ternura esta chica*. El inspirar ternura no implica un comportamiento tierno. Se trata, por tanto, de una deducción, no de algo que se afirme en el texto. La opción **c** es, evidentemente, incorrecta, ya que en el texto se afirma que él se siente superior: *por la certeza de que es superior...* La opción **b**, correcta, utiliza un sinónimo de *lástima*, presente en el fragmento literario: *pena*.

PRUEBA 2 Expresión Escrita

Esta prueba consiste en escribir **una carta personal**, formal o informal, y **una redacción**, narrativa, descriptiva o argumentativa. Se ofrecen dos opciones de cada una para elegir.

En esta prueba es **muy importante el tiempo**: dispones de **una hora** más o menos. (La Prueba 1 y la 2 duran **2 horas** en total).

Te recomendamos escribir primero cada texto **en borrador** y luego pasarlos a limpio en la hoja del examen. (Recordamos que solo hay una hora para ello).

Parte número 1: Carta personal

Estas son las instrucciones que aparecen en la Prueba 2, que se encuentra en el cuadernillo número 1.

INSTRUCCIONES

Redacte una carta de 150-200 palabras (15-20 líneas).
Escoja solo una de las dos opciones que se le proponen.
Escriba la carta definitiva en la **Hoja de Respuestas número 2**.
Comience y termine la carta como si fuera real.

OPCIÓN 1

Usted ha ganado en un concurso un viaje para dos personas a Canarias y quiere que le acompañe un buen amigo. Escriba una carta a su amigo en la que deberá:

- Saludarlo
- Comunicarle el premio.
- Describir las características del viaje: fechas, duración, alojamiento...
- Invitarlo, convencerlo y animarlo para que lo acompañe.
- Pedirle una respuesta rápida y despedirse.

OPCIÓN 2

Usted se ha dejado una bolsa de viaje en su último trayecto en autobús. Escriba una carta a la empresa de autobuses en la que deberá:

- Presentarse.
- Explicar el motivo por el que escribe, precisando el viaje.
- Describir con detalle la bolsa y el contenido.
- Proponer formas de recuperarlo.
- Despedirse.

MODELO DE CARTAS

Opción 1 — LA CARTA PERSONAL INFORMAL

FECHA
(a la derecha o a la izquierda)
- Lugar y coma detrás.
- Día en número (después *de*).
- Mes en letra minúscula (después *de* o en número normal (8-3-2006).
- Año en cuatro cifras sin punto.

¡ATENCIÓN: NO SE DEBE MEZCLAR EL *TÚ* Y EL *USTED* EN EL TRATAMIENTO!

SALUDOS
- Querido / Hola +
  - nombre:
  - amigo:
  - familia:
- Nombre:
- Estimado señor / profesor / amigo:

SIEMPRE DOS PUNTOS ":"
NO SE USA COMA ","

INTRODUCCIÓN
- Preguntas sobre salud y las personas. Excusas...
- ¿Qué tal estás? ¿Qué es de tu vida?
- Hace mucho que no sé nada de ti.
- Siento no haberte escrito antes, pero es que he estado muy liado / no he tenido tiempo..

EXPOSICIÓN
- Relato de hechos, informaciones, opiniones y comentarios.
- Cada idea en un párrafo independiente.

DESPEDIDA
- Besos,
- Un beso / Un besazo,
- Muchos / Mil besos,
- Abrazos,
- Un (fuerte) abrazo,

Madrid, 8 de marzo de 2006

Hola Jaime:

¿Qué tal estás? Hace mucho que no sé nada de ti.

Te escribo para darte una buena noticia: ¡No te lo vas a creer, pero me ha tocado un viaje de una semana a Canarias con todos los gastos pagados! ¿A que es increíble? Y he pensado que podrías acompañarme. Hace mucho que no nos vemos y podría ser una ocasión...

El viaje es del 7 al 15 de abril, justo en las vacaciones de Semana Santa.

El alojamiento es en un hotel de cinco estrellas y tenemos todos los gastos pagados: viajes, traslados, excursiones y pensión completa. ¿No es fantástico?

Contéstame en cuanto puedas porque tengo que organizarlo todo, pero no me falles: cuento contigo.

Un abrazo muy fuerte,

Peter

P.D. Te envío el folleto...

FIRMA
- El nombre.
- Suele ir con rúbrica.

P.D. o P.S.
- Olvidos.
- Información adicional.

FINAL
- Te echo mucho de menos...
- Me acuerdo mucho de ti ...
- Cuídate mucho.
- Escríbeme pronto / cuanto puedas...
- Espero verte pronto
- Estoy deseando volver a verte.
- Hasta pronto / dentro de unos días...

MODELO DE CARTAS

Opción 2   LA CARTA PERSONAL FORMAL

Tiene tres partes:

- Encabezamiento: remitente, destinatario, fecha, línea de asunto y saludo.
- Cuerpo: introducción, exposición, final.
- Cierre: despedida, firma, P.D. o P.S.

El tratamiento es de *usted* o *ustedes*: atención a los pronombres y a las personas de los verbos.

DESTINATARIO

- Datos de la persona o empresa que recibe la carta.
- Puede ir a la izquierda debajo del remitente o a la derecha.

REMITENTE

Datos de la persona que escribe.

Se escribe a la izquierda.

Pedro Gómez
C/ Leganitos, n.º 6, 3º-izda.
28036 Madrid

Autobuses Arcén
C/ Añoveros 4
28027 Madrid

FECHA

A la derecha, debajo del destinatario.

Madrid, 27 de marzo de 2006

ASUNTO

(Línea opcional)

Resumen del contenido.

(Asunto: recuperar bolsa perdida)

INTRODUCCIÓN

- El motivo de mi carta es...
- Me pongo en comunicación con ustedes para...
- Les escribo esta carta para...

SALUDO

Señor/a García:

Señores: (no conocido)

Estimado/a señor/a Ruiz:

Estimados señores: (no conocido)

Muy señor/es mío/s:

Muy señora/s mía/s:

Estimados señores:

Les escribo esta carta para preguntarles si han encontrado una bolsa de viajes que me dejé olvidada en el autobús nº 14 de su compañía el pasado día 25 a las 19:30, aproximadamente, en el trayecto de Avda. del Mediterráneo a Chamartín.

La bolsa perdida es de color azul marino y tiene dos rayas rojas y blancas a los lados. En su interior hay ropa de deporte: un chándal de color verde y unas zapatillas del n.º 43 de la marca Andadas.

Además de esto, dentro de ella llevaba unos libros y unos apuntes de clase, que no tienen valor económico, pero son muy importantes para mis estudios.

En el caso de que la hayan encontrado, les ruego que me la hagan llegar lo más pronto posible o que me comuniquen la forma de recogerla.

En espera de sus noticias, les saluda atentamente,

Pedro Gómez

P.D.: Mi teléfono es el 91 4161823.

EXPOSICIÓN

- Exposición clara y sencilla.
- Cada idea o tema se escribe en un párrafo distinto.

FINAL

Párrafo anterior a la despedida que varía en función del contenido de la carta:

Sin otro particular...

En espera de sus noticias...

Dándole/s las gracias de antemano / por anticipado...

DESPEDIDA

- (Muy) atentamente,
- Un atento saludo,
- (Reciba/n) un cordial saludo,
- Le/s saluda atentamente / cordialmente,
- Se despide atentamente,

Parte número 2: Redacción

INSTRUCCIONES

Escriba una redacción de 150-200 palabras (15-20 líneas).
Escoja solo una de las dos opciones que se le proponen.
Escriba la redacción definitiva en la **Hoja de Respuestas número 2**.

OPCIÓN 1

Todos recordamos algún lugar, pueblo, ciudad o paisaje que se nos ha quedado grabado de forma especial.
Escriba una redacción en la que:

- Describa el lugar.
- Explique por qué le resulta especial.
- Cuente alguna anécdota que le ocurrió allí.
- Explique los sentimientos que le produce recordarlo.

OPCIÓN 2

"El dinero no da la felicidad". Elabore un escrito en el que:

- Dé argumentos a favor o en contra de esta afirmación.
- Exprese su opinión.
- Proporcione algún ejemplo que la justifique.
- Elabore una breve conclusión.

LA DESCRIPCIÓN Y LA NARRACIÓN

Opción 1

RECURSOS PARA LA DESCRIPCIÓN

VERBOS

- Ser
- Estar
- Tener
- Haber
- Llevar

TIEMPOS VERBALES

- Presente para describir en el presente.
- **Pretérito Imperfecto** para la **descripció**[n] **pasado** de personas, lugares, objetos y pa[…] **descripción de acciones habituales**.

RECURSO[S]

Se pueden us[ar]

- Metáforas:
  era una joya.
- Comparacio[nes]
  parecía un
  blo de cuen[to]
- Exageracio[nes]
  jugábamos
  juegos...

ADJETIVOS

Explicativos y especificativos para dar detalles de la descripción.

Recuerdo de manera especial un pequeño pueblo, una pequeña joya de la costa al que solía ir todos los veranos con mi familia. **Estaba** situado en una colina a un kilómetro más o menos de la playa. Desde la parte más alta de él se podía ver un mar resplandeciente, y se notaba una brisa suave que dejaba un ligero sabor salado en la piel. Parecía un pueblo de cuento: estaba bastante **cuidado**, **tenía** una **bonita** plaza donde nos reuníamos todas las tardes, una iglesia **antigua**, a la que íbamos todos los domingos y unas casitas **bajas** y bien **pintadas** en rojo, verde y blanco que alquilábamos los veraneantes.

La vida allí era fascinante: por las mañanas **estudiábamos** e íbamos a la playa. Después de comer, **jugábamos** a las cartas y por la tarde quedábamos con la pandilla (...). Otros días montábamos en bici, preparábamos disfraces para las fiestas, jugábamos a las tabas, la goma y mil juegos de pelota.

OTROS RECURSOS: ordenación

- Espacial: seguir un orden, de derecha a izquierda; de arriba a abajo...
- De lo general a lo particular o al revés.
- Datos generales y accesorios.
- Rasgos físicos de personas, ropa, comportamiento.

LOS CINCO SENTIDOS

- Vista: forma, colores, tamaño, luz.
- Oído: sonidos, ruidos.
- Olfato: olores.
- Gusto: sabores.
- Tacto: textura, temperatura.

LA NARRACIÓN

Opción 1 ### CONTAR UNA ANÉCDOTA

MEZCLA DE TIEMPOS VERBALES

- Indefinido y Pretérito Perfecto para contar los hechos y valorarlos.
- Pluscuamperfecto para acciones anteriores a otras acciones pasadas.
- Imperfecto para describir situaciones o circunstancias de las acciones.

ORDEN

- **Exposición:** hechos y circunstancias...
- **Nudo:** sucesión de acciones.
- **Desenlace:** final o solución.
- Orden cronológico o alterado.
- Narrador: yo, nosotros, tú.

Un verano nos ocurrió algo que no olvidaremos. **Resulta que** en el pueblo de al lado se celebraban las fiestas y nosotros habíamos quedado con unos compañeros de colegio que veraneaban allí, **así que** decidimos ir andando a pasar la tarde. Estuvimos sin parar disfrutando de la feria: nos montamos en los autos de choque y en otras atracciones; practicamos nuestra puntería, con poco éxito, compramos algodones de azúcar, chicles y caramelos... Total, una tarde estupenda. Lo pasamos realmente bien.

Cuando estábamos en lo mejor, **de repente**, nos dimos cuenta de que era tardísimo: teníamos que estar en casa a las 10:00 y eran las 9:30 y seguíamos allí; **así que** decidimos coger un atajo para llegar más rápido, con tan mala suerte que nos perdimos por el camino. Eran las 11:00 y no habíamos vuelto a casa todavía. **Como** no llegábamos, nuestros padres, preocupados, salieron a buscarnos y, por fin, nos encontraron perdidos, llorosos y cansados. **Total que**, como podéis imaginaros, nos castigaron sin salir durante toda la semana. Pero aún así, con castigo y todo, la tarde mereció la pena.

NEXOS

Causa	Consecuencia	Tiempo	Acciones simultáneas	Otros
Como	Por eso	Cuando	Mientras	Resulta que
Porque	Así que	Al cabo de	Al mismo tiempo	De repente
				Total, que

Para empezar

Para terminar

LA ARGUMENTACIÓN

Opción 2

TEMA: El dinero.

TESIS: "El dinero no da la felicidad".

TIPOS:
- **Confirmación:** se aportan datos para probar la verdad de una idea.
- **Refutación:** se aportan datos para rechazar esta idea.
- **Matización:** se aprueba o se rechaza una idea parcialmente.

INTRODUCCIÓN

Presentación del tema y de la tesis. →

1ER ARGUMENTO

No todos los ricos son felices. →

2º ARGUMENTO

Hay personas felices que no son ricas. →

3º ARGUMENTO

Es difícil ser feliz cuando se tiene muy poco dinero. →

4º ARGUMENTO

Es difícil precisar la cantidad de dinero necesaria para ser feliz. →

Opinión personal y matización →

Es muy frecuente oír la frase de que **el dinero no da la felicidad**, como si poseer dinero fuese algo reprobable, cosa que se contradice con la realidad, porque... ¿quién no desea tener dinero? A continuación vamos a dar nuestra opinión matizando esta afirmación.

En primer lugar, hay que señalar que, efectivamente, el mero hecho de tener dinero no nos garantiza la felicidad. Hay personas muy ricas que no consiguen ser felices debido a su mala salud o a unas circunstancias familiares desgraciadas; o a defectos físicos o problemas psicológicos...

Todos conocemos casos de personas multimillonarias que no han podido soportar la presión de la vida y han acabado suicidándose. Para estas personas el dinero no ha servido de nada. También conocemos casos de personas ricas que viven apartadas del mundo y esclavizadas por su fortuna.

En segundo lugar, hay muchas personas que, aunque no disponen de mucho dinero, son relativamente felices: saben disfrutar del amor, del cariño, de la amistad de los demás, del trabajo, incluso, y de los placeres sencillos. **Por ejemplo**, una buena cena en compañía, un paseo en un día soleado, una bonita puesta de sol... Hay infinidad de cosas en esta vida que nos pueden hacer felices y que son gratis: reírse, cantar, bailar, caminar, charlar.

También es cierto, como dice el refrán, que "donde no hay harina, todo es mohína", es decir, que cuando falta el dinero básico para vivir, la vida se puede convertir en un tormento. Y es verdad: es muy triste e injusto pasar hambre, no poder dar estudios a unos hijos, o no disponer de una casa en condiciones.

Por otro lado, la cantidad de dinero que necesita una persona para ser feliz es algo subjetivo y difícilmente cuantificable. Hay personas que con poco se conforman; en cambio, hay otras que nunca están satisfechas con lo que tienen. **Esto nos lleva a plantearnos** la siguiente pregunta: ¿cuánto dinero se necesita para ser feliz? Para algunos sería el necesario para cubrir las necesidades básicas con dignidad. Pero, ¿cómo se mide esto? Creo que es difícil dar una respuesta a esta pregunta, debido a que cada persona tiene una idea diferente de lo que son las necesidades básicas.

En nuestra opinión, el dinero es importante para vivir, pero no es necesario tenerlo en exceso para ser feliz: está bien en su justa medida. Asimismo, el dinero más valorado es el que se consigue con trabajo y esfuerzo.

Podemos concluir citando las palabras del sabio: "no es más rico el que más tiene, sino el que menos desea".

↑

Conclusión

ARGUMENTACIÓ
- Argumentos claros.
- No deben repetirse
- Deben ir en párra independientes, bien unidos con co tores.
- Se pueden dar ci datos.
- Citas de person instituciones.
- Se puede razonar la causa y la co cuencia.
- Hay que evitar los timientos y emoci

CONECTORI
- **Ordenar:**
  En primer luga
  En segundo lu
  Para empezar,
  Ante todo,
- **Distinguir:**
  Por un lado,
  Por otro,
  Por una parte
  Por otra,
- **Continuar:**
  Además,
  Asimismo,
  Así pues,
- **Insistir:**
  En otras pala
  Como he dic
  En efecto,
  O sea,
  Hay que des
- **Oposición:**
  En cambio,
  No obstant
  Ahora bien
  De todas m
- **Concluir:**
  En conclus

Hay que evitar los argumentos falsos o falacias:
- No hay que atacar a las personas o no dejarles opinar
- No se debe aplicar una regla general a un caso partic
- Las excepciones no deben ser la base de una regla ge
- No se debe tergiversar las palabras de otros para ada nuestra postura.
- No se debe dar pena para conseguir algo.
- Se debe evitar la ambigüedad y las informaciones co

Esta prueba consta de cuatro textos, cada uno se repite dos veces. La prueba consiste en contestar a las tres preguntas correspondientes a cada uno de los textos. En las preguntas del texto 1 solo hay dos opciones de respuesta: **verdadero o falso**. En las del resto de los textos hay tres opciones: **a**, **b** y **c**. El texto 4 es una entrevista. Después de la segunda audición de cada texto hay dos minutos para contestar a las preguntas. La prueba termina cuando lo indica la audición.

Estas son las instrucciones que aparecen en la Prueba 3 que se encuentra en el cuadernillo número 2.

INSTRUCCIONES

Usted va a oír cuatro textos. Oirá cada uno de ellos dos veces. Al final de la segunda audición, dispondrá de tiempo para contestar a las preguntas que se formulan.

Hay dos modalidades de pregunta:

Primer tipo:

a) Verdadero.
b) Falso.

Segundo tipo. Selección de una respuesta entre tres opciones:

a) ...
b) ...
c) ...

Marque la opción correcta en la **Hoja de Respuestas número 3**.

Es importante que leas las preguntas antes de escuchar los textos. Durante la audición, subraya o apunta las **palabras claves**, es decir, las palabras relacionadas con las preguntas. En la repetición de la audición, confirma las respuestas y márcalas en la hoja de respuesta correspondiente. Recuerda que la prueba termina cuando lo indica la audición, después no tendrás tiempo de marcar las respuestas en la hoja de respuestas número 3. Por último, es importante que respondas, igual que en la Prueba 1, atendiendo exclusivamente al contenido del texto. En otras palabras, no te examinan de tu conocimiento del mundo, ni te piden que saques conclusiones. Las preguntas miden la comprensión global del texto en cuestión. Por tanto, elige la respuesta teniendo en cuenta solamente lo que se dice en el texto.

Selección de dos textos modelo con posibles preguntas comentadas:

TEXTO 1
UN SIGLO DE CARTELES PARA EL CAMPO

CD Audio
Pista 29

. En la grabación se dice que la gente del campo recibía información importante a través de los carteles publicitarios.
   a) Verdadero.
   b) Falso.

. Según la grabación, los carteles reflejaban una época optimista de la sociedad.
   a) Verdadero.
   b) Falso.

En la audición se dice que el producto estrella de principios del siglo XX fue la naranja.
   a) Verdadero.
   b) Falso.

P I S T A S

Las preguntas se realizan sobre diferentes aspectos:

En la pregunta 1 se resume, con diferentes palabras, la información del primer párrafo: *A través de su sencilla iconografía... ganaderos y agricultores accedían a una importante información....* Es por tanto, verdadera.

En la pregunta 2 se puede confundir el enunciado de la pregunta: *época optimista de la sociedad* con lo que se dice en el texto: *nota de color a una vida o a una época social teñida de gris.* Por tanto, es falsa.

En la pregunta 3 en el enunciado de la pregunta se repite la información del texto con otras palabras: *la naranja, que se convirtió en auténtica imagen del país.* Por tanto, es verdadera.

TEXTO 2

JUAN GRIS, NUNCA GRIS

CD Audio

Pista 30

4. Según la audición, Juan Gris:

a) Era, a la vez que pintor, matemático.

b) Solucionaba problemas matemáticos.

c) Concebía las pinturas como problemas matemáticos.

5. En la grabación se afirma que:

a) Es la primera exposición de Juan Gris en España.

b) Hay cuadros que se ven por primera vez en España.

c) Es la primera exposición de tipo acumulativo en España.

6. Según la grabación, Juan Gris:

a) Era muy exigente en la realización de sus trabajos.

b) Era, en ocasiones, descuidado en sus cuadros.

c) Tenía gustos exquisitos.

P I S T A S

En la pregunta 4, en las tres opciones aparece la palabra *matemático/s*, lo que induce al error. En el texto, compara la forma de realizar sus obras con la forma de resolver problemas matemáticos: *rigor al plantear y resolver cada obra como un problema matemático.* Por esa razón la respuesta correcta es la *c*, y no es la *b*, ya que no significa lo mismo que *resolver problemas matemáticos*. Respecto a la respuesta *a* no se dice nada en el texto.

En la pregunta 5, en la opción *b*, se repite la información del texto con otras palabras: por primera vez muchos cuadros inéditos en España. No es *a* porque no dice nada sobre eso el texto; no es *c* porque no significa lo mismo: *exposición de tipo acumulativo* y *no es una de esas muestras que solo quiere acumular pieza*.

En la pregunta 6 en la opción *a* se repite la información del texto con otras palabras: *pulidor impecable que construye el cuadro con una coherencia asombrosa, con una exquisita atención, sin un descuido.* Por tanto no es posible la opción *b*; y por otro lado, no significa: *tenía gustos exquisitos*, opción *c*.

Recuerda que las opciones incorrectas pueden serlo por diversos motivos.

P I S T A S

Fíjate bien en las preguntas, la clave para que las respuestas sean verdaderas o falsas puede ser:

- La repetición de una palabra del texto que puede inducir al error.
- Una preposición.
- Un tiempo verbal.
- Repetir la información pero con diferentes palabras.
- Otros significados de la palabra clave.
- La información de la frase es correcta, excepto el sujeto.
- Una parte del enunciado es verdadera y otra falsa.

PRUEBA 4 G&V Gramática y Vocabulario

SECCIÓN 1: Texto incompleto

En esta primera sección vas a encontrar un texto con 20 huecos. Para cada uno de ellos cuentas con 3 opciones de respuesta. Estos huecos corresponden a tipos de palabras muy diferentes: preposiciones, pronombres, formas verbales, conectores oracionales, adverbios, etc. En esta prueba tiene gran importancia el contexto a la hora de determinar la opción correcta. Es decir, no solo la oración donde está el hueco condiciona la respuesta, sino que también la oración precedente establece ciertas restricciones en la elección.

Estas son las instrucciones que aparecen en la Prueba 4 que se encuentra en el cuadernillo número 2.

INSTRUCCIONES

Complete el siguiente texto eligiendo para cada uno de los huecos una de las tres opciones que se le ofrecen. Puede utilizar esta página como borrador si lo estima conveniente.
Marque la opción elegida en la **Hoja de Respuestas número 4**.

LATIN KING

Es una de las reinas de la "nación" ideada por los "Latin King". Tiene 18 años y es española. Sus padres, al tanto de la situación, tratan de protegerla. Sin embargo, denuncian la dejadez de las autoridades.

" ____1____ tenía 15 años me metí en los "latin" ____2____ me sentía aislada y rechazada en el colegio. ____3____ conmigo y se burlaban de mí. Estaba sola y los "hermanitos" me ayudaron", ____4____ Isabel.

Desde que esta hija ____5____ decidió que quería entrar en la "nación" ideada por los "Latin Kings" (LK) o "Reyes Latinos" han pasado tres años que no han sido fáciles para esta familia, que ____6____ en un pueblo de la región".

> La oración anterior proporciona el contexto para la respuesta 3.

Este caso sorprende ____7____ no responder al perfil habitual de los miembros de estas bandas. ____8____ en los últimos tiempos están captando a españoles, ella aterrizó en los "latin" cuando la labor del fundador de los "Reyes latinos" en nuestro país comenzaba a dar sus ____9____. Luego se hizo "reina".

> En la pregunta 12, las 3 opciones implican "grupo", pero con matices muy diferentes.

Sus padres ____10____ enseguida de que algo no marchaba bien por sus cambios de ____11____, comportamiento y aficiones: se volvió agresiva por la rabia que acumuló antes de formar parte de los LK. Y dice que en ellos halló respeto y protección. Habla muy bien de la ____12____. Cuenta que hacen cosas buenas: reparten bocadillos y ropa ____13____ los mendigos, "hermanitos" y "príncipes" (hijos de "reyes") que lo necesitan.

____14____, no todo es bueno, ya que las normas son muy rígidas, y si las incumplen, les castigan o son ____15____ en función de la ofensa realizada. Respecto a las palizas, dice que las mujeres son intocables, que las castigan de otro modo, pero que los chicos atacan a los que les ____16____ de otros grupos.

> En la pregunta 19, el tiempo del verbo desear (desee) determina la opción correcta.

...e ____17____ del machismo, puesto que no pueden ir a la "disco", fumar y si les gusta alguno que no sea "latin" debe entrar en la "nación". ____18____ que quien desee abandonar a los LK no ____19____ problemas si no es un chivato. Añade que sigue ____20____ no tiene amigos fuera y porque tendría que cambiar de casa, colegio..., empezar una vida nueva".

Texto adaptado *ABC*, 17-11-2005

Preparación Diploma de Español (Nivel Intermedio)

1.	a) Cuando	b) Como	c) Porque
2.	a) como	b) porque	c) aunque
3.	a) Se metían	b) Metían	c) Se metieron
4.	a) aconseja	b) se queja	c) insiste
5.	a) sola	b) única	c) mayor
6.	a) es	b) convive	c) reside
7.	a) por	b) para	c) porque
8.	a) Como	b) Aunque	c) Porque
9.	a) productos	b) frutas	c) frutos
10.	a) notaron	b) percibieron	c) se dieron cuenta
11.	a) aptitud	b) rutina	c) actitud
12.	a) panda	b) banda	c) pandilla
13.	a) a	b) por	c) con
14.	a) Sin embargo	b) A pesar de	c) Aunque
15.	a) expelidos	b) expulsados	c) despedidos
16.	a) agreden	b) castigan	c) burlan
17.	a) protesta	b) queja	c) reniega
18.	a) Insiste	b) Niega	c) Afirma
19.	a) tiene	b) tendría	c) tendrá
20.	a) en vista de	b) porque	c) por

SECCIÓN 2: Selección multiple

Ejercicio 1

Este es el único ejercicio en el que vas a encontrar una expresión o palabra marcada **en negrita**. Para cada pregunta cuentas con 3 opciones. Ten cuidado porque estas pueden tener entre sí significados similares, pero nunca idénticos. Debes elegir la opción que más se ajuste al significado de la palabra o expresión. Es también muy importante que tengas en cuenta lo siguiente: cada una de las opciones reemplaza la totalidad de la expresión en negrita. Así, en el ejemplo propuesto a continuación, la frase *cuenta la información relevante* sustituye a **no te andes por las ramas**, y no simplemente a **te andes por las ramas**.

Estas son las instrucciones que aparecen en la Prueba 4.

INSTRUCCIONES

En cada una de las frases siguientes se ha marcado con letra **negrita** un fragmento. Elija, de entre las tres opciones de respuesta, aquella que tenga un significado equivalente al del fragmento marcado. Por ejemplo:

- *Cuéntame lo que pasó y* ***no te andes por las ramas***.

a) No te distraigas.
b) Cuenta la información relevante.
c) No me mientas.

La respuesta correcta es la B.

Marque la opción elegida en la **Hoja de Respuestas número 4**.

21. • ¿Qué te pasa? Tienes **mala cara**.
   • Nada, nada. Solo estoy un poco cansada.

    a) pareces enfadada.
    b) pareces enferma.
    c) pareces triste.

Pueden aparecer frases hechas.

22.
- ¿Qué tal con el nuevo vecino?
- La verdad es que **no puedo verlo ni en pintura**.
  - **a)** nunca está en casa
  - **b)** no me cae nada bien
  - **c)** nunca lo veo

> Hay también construcciones idiomáticas.

23.
- ¿Por qué me **echas en cara** algo que ocurrió hace tantos años?
- Porque ahora estás actuando del mismo modo que entonces.
  - **a)** me cuentas algo
  - **b)** me mientes sobre algo
  - **c)** me reprochas algo

24.
- Vamos de compras y, **de paso**, sacamos las entradas.
- Buena idea.
  - **a)** por el camino
  - **b)** aprovechando las circunstancias
  - **c)** al mismo tiempo

> Pueden presentarse palabras con ciertas dificultades:
> - Palabras con varios significados.
> - Palabras que se escriben igual que en otras lenguas, pero de significado completamente distinto (falsos amigos).

25.
- Mira lo que está haciendo Ana.
- Sí, es que siempre está **montando el número**.
  - **a)** armando escándalo
  - **b)** haciendo operaciones matemáticas
  - **c)** haciendo el ridículo

26.
- ¿Qué tal el examen?
- Bien, aunque al principio **me quedé en blanco**.
  - **a)** no escribí nada.
  - **b)** me puse pálido.
  - **c)** me bloqueé.

> El verbo *llevar* tiene distintos significados. El contexto nos ayuda a determinar cuál.

27.
- Me encantan los zapatos que se ha comprado Carmen.
- Sí, son preciosos y ahora **se llevan mucho**.
  - **a)** están a buen precio
  - **b)** sientan muy bien
  - **c)** están de moda

28.
- ¿Por qué hablas tan mal de Pepe?
- Porque nunca **arrima el hombro** cuando le necesitamos.
  - **a)** contesta
  - **b)** habla
  - **c)** ayuda

29.
- Espera, que me estoy poniendo el abrigo.
- Sí, sí, mientras yo cierro las maletas. Ya sabes que necesitamos llegar a la estación **con tiempo**.
  - **a)** con puntualidad
  - **b)** antes de la hora requerida
  - **c)** con el clima adecuado

> Determinadas frases con un significado específico o *expresiones fijas*: con tiempo no es lo mismo que a tiempo, por ejemplo.

30.
- Mateo es el candidato perfecto para ese trabajo de vendedor.
- Sí, es atractivo y, sobre todo, **tiene mucha labia**.
  - **a)** es muy inteligente
  - **b)** tiene mucha experiencia
  - **c)** tiene mucha facilidad para hablar

Ejercicio 2

Aunque se trata de un ejercicio único, podemos distinguir dos partes claramente diferenciadas: preguntas 31-40 , preguntas 41-60 .

En las preguntas 31-40 encontrarás **dos opciones** de respuesta. En este apartado suelen aparecer los siguientes temas gramaticales:

- *Ser / Estar.*
- Pasados, usos del Pretérito Imperfecto y del Pretérito Indefinido.
- *Por / Para.*
- Determinantes y pronombres indefinidos: *cualquier, cualquiera, ningún, ninguno...*

Preparación Diploma de Español (Nivel Intermedio)

Estas son las instrucciones que aparecen en esta sección de la Prueba 4.

INSTRUCCIONES

Complete las frases siguientes con un término adecuado de los dos o cuatro que se le ofrecen.
Marque la opción correcta en la **Hoja de Respuestas número 4**.

31.
• ¿Qué tal las vacaciones?
• Muy bien. _____ en Sevilla y lo pasamos fenomenal.
    a) Estuvimos
    b) Fuimos

32.
• ¿Sabes dónde _____ la cena de fin de curso?
• En el restaurante de Pablo, cerca del metro.
    a) está
    b) es

> ¡Cuidado! "la cena" es un **acontecimiento**, no un lugar.

33.
• ¿Qué tal la película de ayer?
• La verdad es que _____ bastante aburrida.
    a) estaba
    b) era

> Hay adjetivos con diferente significado, según se usen con *ser* o con *estar*.

34.
• ¿Crees que debemos contratar a este candidato?
• No sé, me parece que _____ un poco verde para el puesto.
    a) está
    b) es

35.
• ¿Por qué te _____ tanto ayer?
• Porque me habló de muy malas maneras.
    a) enfadaste
    b) enfadabas

> ¿Es una acción terminada o está describiendo una situación?

36.
• ¿Sabes algo de Ramón?
• Sí, ayer lo vi y me dijo que _____ novia.
    a) tuvo
    b) tenía

> ¿*Tener novia* ocurre **antes** o **al mismo tiempo** que *dijo*?

37.
• No te preocupes _____ él. Todo va a salir bien.
• Eso espero.
    a) por
    b) para

> ¿"Él" es la *causa* o la *finalidad* de la preocupación?

38.
• ¡Qué pronto has llegado!
• Sí, es que he venido _____ el parque y el camino es más corto.
    a) por
    a) para

> ¿Significan lo mismo *por* y *para* cuando les sigue un **lugar**?

39.
• ¿Quieres algo de comer?
• Sí, dame _____ cosa.
    a) cualquier
    a) cualquiera

> ¿Cuál de los dos necesita un sustantivo detrás?

40.
• ¿Puedes dejarme un bolígrafo?
• Sí, mira en la mesa. Creo que hay _____.
    a) algún
    a) alguno

> ¿Cuál de los dos necesita un sustantivo detrás?

Desde la pregunta 41 hasta la 60 encontrarás cuatro opciones. Los temas que aparecen en esta sección son variados:

- Preposiciones.
- Conectores que introducen oraciones condicionales, temporales, concesivas (*aunque, a pesar de que...*), causales, consecutivas, finales y modales.
- Usos de Indicativo y de Subjuntivo con este tipo de oraciones.
- Verbos que exigen una preposición determinada.
- Estilo indirecto.
- Correspondencia de tiempos de Indicativo y Subjuntivo, dependiendo de si la oración se refiere al pasado, al presente o al futuro.

Selección de preguntas más frecuentes.

41.
- No entiendo por qué no me _____ para la reunión.
- Perdona, pero se me olvidó.
    a) llames
    b) has llamado
    c) hayas llamado
    d) llamarás

> ¡Cuidado! Hay un interrogativo.

42.
- Veo que has comprado un nuevo sillón.
- Sí, _____ el viejo era muy incómodo.
    a) como
    b) es que
    c) cuando
    d) así que

> "el viejo era muy incómodo", ¿qué expresa respecto a *comprar*? **¿Causa? ¿Consecuencia? ¿Tiempo?**

43.
- ¿Has dicho a los estudiantes que el día catorce hay un examen?
- Sí, ya _____ he dicho.
    a) les
    b) los
    c) se los
    d) se lo

> ¿Cuántos pronombres se necesitan para sustituir los contenidos de la primera frase? ¿Qué pronombre sustituye a "el día catorce hay un examen"?

44.
- Nos quedaremos aquí _____ terminemos el trabajo.
- Vale, vale. Tú mandas.
    a) desde que
    b) por que
    c) hasta que
    d) así que

> ¿A qué tiempo se refiere el verbo *quedarse*? ¿Al presente, al pasado o al futuro? ¿Qué expresa "terminemos el trabajo"? **¿Causa? ¿Consecuencia? ¿Tiempo?**

45.
- Me encantaría que mañana nos _____ el día libre.
- Sí, a mí también.
    a) darán
    b) hayan dado
    c) daban
    d) dieran

> ¡Atención a la correspondencia de tiempos!

46.
- Por favor, entregue este paquete al secretario _____ trabaja en el piso de abajo.
- Sí, ahora mismo.
    a) que
    b) el que
    c) el cual
    d) quien

> ¡Atención! No hay coma (,) ni preposición después del sustantivo.

47.
- El nuevo vecino es muy simpático.
- Pues yo creo que no debes fiarte _____ él.
    a) en
    b) de
    c) con
    d) a

> Recuerda: algunos verbos necesitan una determinada preposición.

48.
- ¿No crees que estos informes _____ muy complicados?
- Sí, pero no tenemos más remedio que terminarlos.
    a) sean
    b) fueran
    c) son
    d) hayan sido

> ¡Cuidado! El verbo *creer* aparece en una pregunta.

49.
- Luis está muy raro últimamente.
- Sí, se comporta como si _____ algo que esconder.
    a) tenía
    b) tuviera
    c) tenga
    d) había tenido

> ¡Fíjate! Es una comparación hipotética.

50.
- ¿Sabes algo de Pedro?
- Sí. Ayer me lo encontré en el bar y me dijo que te _____ mañana.
    a) llame
    b) llamara
    c) llamaría
    d) habrá llamado

> ¡Ojo! Es un caso de estilo indirecto y *decir* está en pasado.

51.
- El próximo año se casa Isabel.
- ¡Vaya! ¡Qué bien! No lo _____.
    a) sabía
    b) había sabido
    c) supe
    d) he sabido

En esa prueba estarán presentes dos personas además del candidato: el evaluador y el entrevistador. Antes de empezar el examen, comprobarán tu identidad. El entrevistador te hará unas preguntas durante dos o tres minutos con el fin de que te sientas cómodo. Esta parte no se calificará.

La Prueba 5 consta de tres partes:

1ª parte: la lámina.

2ª parte: exposición de un tema que habrás preparado previamente durante 10 minutos. No tienes que tratar obligatoriamente los puntos que se proponen en el tema, puedes hablar de algunos o de ninguno, son simplemente sugerencias. Puedes llevar un esquema con notas a modo de guión. No redactes el tema, puesto que en ningún caso podrás leerlo.

3ª parte: conversación con el examinador a partir del tema expuesto.

Cuando la prueba termine, el entrevistador se despedirá, pero no podrá hacer ningún comentario sobre el desarrollo de la prueba.

PRIMERA PARTE: Láminas

P I S T A S

El entrevistador te dará una **lámina** con dos historietas. Míralas rápidamente hasta el final y elige una. Tienes que describir las viñetas y contar lo que sucede.

Una vez elegida la lámina, dilo y empieza a contar lo que ves en la primera viñeta. Explica lo que hacen, lo que ven, lo que ocurre... Cuando termines, pasa a la segunda viñeta, pero no interrumpas el relato, usa los conectores y marcadores de espacio y tiempo, o los que necesites, según la historia. Y así sucesivamente.

Si no entiendes muy bien lo que pasa, dilo, y empieza a contar lo que ves. Nunca te quedes callado, el evaluador no sabrá si es que no entiendes la historia o si se trata de un problema de vocabulario, de gramática, etc.

Al terminar de contar toda la historia, en la cuarta viñeta, debes imaginar que eres uno de los personajes y lo que dirías en esa situación. El entrevistador te pedirá que te pongas en el lugar de uno de los personajes y te preguntará qué dirías si fueras el hombre / la mujer / el niño / la niña. El entrevistador puede intervenir en el diálogo.

Recuerda que es importante que uses las palabras precisas. Cuando no conozcas una palabra, no lo digas ni uses otra lengua, intenta explicarla de otra manera. Y no olvides mirar al entrevistador de vez en cuando.

MIRE LA HISTORIETA, DESCRÍBALA Y CUENTE LO QUE SUCEDE

Empieza explicando qué ves en la primera viñeta: *Una mujer va con unos niños a una exposición...*

En la última viñeta, te harán una pregunta similar: *"Imagina que eres la mujer: ¿qué les dices a los niños?:*
"_____."

En esta parte se evalúa la adecuación, la fluidez, la pronunciación, la gramática y el léxico.

SEGUNDA PARTE: Exposición del tema

P I S T A S

Cuando termines la primera parte, el entrevistador te preguntará qué tema has elegido y te indicará que empieces cuando quieras. Puedes tener las notas que hayas escrito a modo de guión delante, pero recuerda que no puede ser un texto redactado.

El tema debe tener una estructura: inicio, desarrollo y cierre.

Puedes echar un vistazo a las notas de vez en cuando, pero mira al entrevistador, no leas, ya que uno de los puntos que se evalúa es la fluidez.

Es importante que tengas en cuenta que la exposición del tema dura solo entre 2 y 3 minutos.

LA VIDA EN EL FUTURO

- ¿Cómo serán las clases: en las aulas o a distancia a través de Internet? ¿Cree que es posible estudiar todas las asignaturas por este último medio?

- ¿Seguirán existiendo los problemas generacionales?

- ¿Cómo serán los medios de transporte? ¿Seguirán existiendo los mismos? ¿Desaparecerá alguno? ¿Volar será más barato?

- El sistema de pago, ¿será igual que ahora o desaparecerá el dinero?

- Los viajes espaciales.

- ¿Cómo afectará todo esto a las artes? ¿Iremos a los museos o los visitaremos virtualmente?

En esta parte se evalúa la fluidez, la pronunciación, la gramática y el léxico.

TERCERA PARTE: Conversación

Cuando acabes de exponer el tema, el entrevistador te hará unas preguntas sobre el mismo.

P I S T A S

Si no estás seguro de haber comprendido bien alguna pregunta, asegúrate de lo que te están preguntando: *¿Quiere decir si / que...?, Se refiere a..., ¿A qué se refiere concretamente?*

Si no sabes contestar o nunca te has planteado ese tema por el que te preguntan, no te quedes callado. Puedes salir del paso con frases como: *Pues no sé qué decir / Nunca me lo he / había planteado; La verdad es que tampoco sabría qué decir en mi propia lengua.*

Es importante que contestes con seguridad y que demuestres todo lo que sabes. No contestes con monosílabos o respuestas breves.

En esta parte se evalúa la interacción, la fluidez, la pronunciación, la gramática y el léxico.

SER:

- Se usa para localizar actividades, acontecimientos o eventos (fiesta, boda, reunión, concierto...): *La clase es en el aula 27.*

ESTAR:

- Se usa para localizar países, ciudades, personas, objetos, etc.: *Madrid está en el centro de España.*

RELATIVOS:

- En las oraciones relativas, cuando aparece *que* sin coma y sin preposición, no puede sustituirse por *quien* o por *el cual, la cual...*: *Los estudiantes que estaban cansados se fueron a dormir.* Es imposible decir **Los estudiantes quienes estaban cansados se fueron a dormir; *Los estudiantes los cuales estaban cansados se fueron a dormir.*

- En los relativos *el que, la que, los que, las que, lo que,* el género y el número dependen del antecedente: *¿Tienes algo con lo que pueda arreglar este grifo?*; *Tráeme los libros de los que me hablaste, por favor.*

PRONOMBRES:

- *Cualquiera, alguno, ninguno, alguien, nadie, algo* y *nada* son pronombres. Por tanto, no pueden llevar inmediatamente después un sustantivo: *¿Ha venido algún estudiante? No, no ha venido ninguno.*

COMO:

- Cuando *como* tiene significado de causa va al principio de toda la oración: *Como no tenía tiempo, no fui a la reunión. Porque* va en la segunda parte de la oración: *No fui a la reunión porque no tenía tiempo.*

POR y PARA:

- Si nos dirigimos a un lugar, *por* expresa "a través de"; *para* significa dirección. *Ayer me paseé por El Retiro. Salgo para Sevilla esta tarde.*

INDICATIVO o SUBJUNTIVO:

- Las oraciones que empiezan con una palabra interrogativa como *por qué, cuándo, dónde, a quién...*, no llevan Subjuntivo. *¿Dónde está María?*

- *A lo mejor, igual, lo mismo* y *seguro que* van seguidos siempre de Indicativo. *Igual le apetece venir. Puede (ser) que, es probable / posible que* siempre se usan con Subjuntivo. *Puede que llegue tarde.*

- *Ojalá* lleva siempre Subjuntivo.

- La expresión de tiempo *antes de que* siempre lleva Subjuntivo: *Volveremos a casa antes de que empiece la película*; *Volvimos a casa antes de que empezara la película*.

- *Es normal que* y *es lógico que* siempre llevan Subjuntivo: *Es normal que todos nos enfademos alguna vez*; *Es lógico que estés contento por la beca*.

- *Cuando* y similares llevan Subjuntivo cuando se refieren al futuro: *Saldremos de casa en cuanto terminemos de limpiar*; *Te lo diré cuando lo sepa*. No usamos Subjuntivo si el *cuándo* tiene valor interrogativo. En este caso siempre lleva acento: *¿Cuándo lo supiste?*

- En las oraciones condicionales, el *si* nunca lleva Presente de Subjuntivo. Lo correcto es: *Si tuviera tiempo, te llamaría*. Este tipo de *si* tampoco lleva Futuro ni Condicional: **Si tengas tiempo, llámame*; **Si tendrás tiempo, llámame*; **Si tendría tiempo, te llamaría* son incorrectos.

INDEFINIDO o IMPERFECTO:

- Con expresiones de tiempo terminado como *toda la noche, hasta las cuatro, durante dos minutos, de dos a tres...*, usamos Pretérito Indefinido, no Imperfecto. *Estuve esperándote hasta las cuatro.*

CONDICIONAL:

- Las frases de consejo *yo que tú, yo en tu lugar,* van seguidas de Condicional: *Yo que tú, compraría la falda*; *Yo en tu lugar, compraría la falda*.

RÉGIMEN PREPOSICIONAL:

- Algunos verbos rigen una determinada preposición: *consistir en, fiarse de, confiar en, enterarse de, darse cuenta de, enamorarse de, casarse con, soñar con, acordarse de...* Siempre hay que confiar en los amigos. *Ayer Elena se casó con Juan.*

Cada texto está grabado una sola vez. Recuerde que para oírlos dos veces, tendrá que volver a pulsar la pista correspondiente.

1.	Presentación y Examen 1	Texto 1
2.	Examen 1	Texto 2
3.	Examen 1	Texto 3
4.	Examen 1	Texto 4
5.	Examen 2	Texto 1
6.	Examen 2	Texto 2
7.	Examen 2	Texto 3
8.	Examen 2	Texto 4
9.	Examen 3	Texto 1
10.	Examen 3	Texto 2
11.	Examen 3	Texto 3
12.	Examen 3	Texto 4
13.	Examen 4	Texto 1
14.	Examen 4	Texto 2
15.	Examen 4	Texto 3
16.	Examen 4	Texto 4
17.	Examen 5	Texto 1
18.	Examen 5	Texto 2
19.	Examen 5	Texto 3
20.	Examen 5	Texto 4
21.	Examen 6	Texto 1
22.	Examen 6	Texto 2
23.	Examen 6	Texto 3
24.	Examen 6	Texto 4
25.	Examen 7	Texto 1
26.	Examen 7	Texto 2
27.	Examen 7	Texto 3
28.	Examen 7	Texto 4
29.	Pautas para los exámenes	Texto 1
30.	Pautas para los exámenes	Texto 2